EL BARCO DE VAPOR

Las cometas del recuerdo

Gloria Cecilia Díaz

Dirección editorial: Elsa Aguiar
Coordinación editorial: Berta Márquez
Cubierta e ilustraciones: Gonzalo Izquierdo

© Gloria Cecilia Díaz, 2008
© Ediciones SM, 2008
   Impresores, 2
   Urbanización Prado del Espino
   28660 Boadilla del Monte (Madrid)
   www.grupo-sm.com

ATENCIÓN AL CLIENTE
Tel.: 902 12 13 23 - Fax: 902 24 12 22
e-mail: clientes@grupo-sm.com

ISBN: 978-84-675-3029-2
Depósito legal: M-36.652-2008
Impreso en España / *Printed in Spain*
Gohegraf Industrias Gráficas, SL - 28977 Casarrubuelos (Madrid)

A Marianne, mi hija

1

Li-Yun tenía setenta y cinco años y aún se pasaba los días fabricando cometas. Era el trabajo que había hecho toda la vida. Se había enamorado de las cometas siendo niño, viendo a su abuelo y a su padre fabricarlas. Una vez, su padre le regaló una cometa-dragón con una estela dorada que Li-Yun echó a volar día tras día hasta que, una tarde, un viento muy fuerte se la arrebató, dejándolo con los ojos llenos de lágrimas, fijos en el infinito.

Ya a los quince años, Li-Yun era conocido por la destreza de sus manos, y desde esa época, en los meses de viento, trabajaba día y noche para dar abasto con el pedido de cometas de los niños del pueblo y de otros pueblos cercanos.

Trabajaba con aplicación. Cada cometa era diferente, cada una era única. Cuando los niños venían a comprarlas, agarrados de la mano de sus padres, no sabían cuál escoger; tan maravillosas les parecían todas.

Para Li-Yun todo podía volar, y así representaba en sus cometas los seres y las cosas de este ancho mundo: cometas-flores, cometas-pájaros, cometas-animales, cometas-hombres, cometas-peces...; todas sobrevolaban el cielo atadas a la mano de un niño. Los adultos acostumbraban a tenderse en la hierba para mirarlas, para ver cuál era más bella o para recordar la época en que ellos mismos las echaban a volar.

Li-Yun se asomaba a la ventana de su casa, miraba el cielo encometado y sonreía satisfecho. Luego volvía a su mesa de trabajo para seguir trazando los ojos oblicuos de un niño-cometa, chino como él, o las escamas de un pez plateado, destinado no al agua sino al cielo.

Cuando fabricaba una cometa, era como si todo a su alrededor dejase de existir. La cometa, sus colores, sus líneas, sus pliegues y su estela ocupaban su espíritu por completo. La imaginaba ya en la inmensidad del azul, correteando, oyendo el susurro del viento, viendo el ir y venir de las otras cometas, salidas casi todas de sus manos.

Cuando los niños las escogían, verificaban la calidad del cordel y, cuando las echaban a volar, tenían cuidado de agarrarlas bien; porque las cometas de Li-Yun tenían fama de escaparse a menudo. Era como si tuviesen una fuerza extraña que las empujaba hacia el cielo.

–Es porque están hechas para volar –decía Li-Yun cuando los niños le contaban, muchas veces con lágrimas en los ojos, que sus cometas se habían ido.

–Pero ¿adónde se van? –le preguntó una vez una niña desesperada.

–A buscar la libertad, a recorrer el cielo a su antojo –le explicó Li-Yun sentándola en sus rodillas.

–¿A buscar otras cometas? –quiso saber la niña.

–Seguramente –repuso Li-Yun pensativo.

–¿A las cometas no les gusta que las amarren? –siguió preguntando la niña.

–Supongo que no. Dime, ¿a ti te gustaría?

–¡Claro que no! –respondió ella riendo.

–¿Ves?

–Pero una cometa no es una niña.

–¿Y qué? Una cometa tiene alma de cometa, y su destino es volar…

La niña se quedó pensando y se dio cuenta de que a ella le pasaba algo parecido: le gustaba ir de la mano de su papá o de su mamá, pero le encantaba también soltarse e ir y venir sola, a su antojo, como las cometas.

Li-Yun le regaló una cometa-pájaro y la niña le dijo:

–La voy a tener agarrada unos días, y después la dejaré ir.

Li-Yun le ofreció una sonrisa luminosa y feliz, y volvió a su trabajo. Los niños le encantaban: claro que los niños de los otros... Siempre le había asustado la responsabilidad que implicaba un hijo. Recordaba que cuando era joven le impresionaba ver a los padres desvivirse por sus hijos, festejarles cualquier nimiedad o temblar de miedo ante la menor fiebre. No, eso lo había descartado desde el principio; él no quería vivir en vilo. El contribuía con sus cometas a la alegría de los niños, y eso le parecía suficiente.

La casa de Li-Yun era un viejo y enorme galpón que sus abuelos y sus padres habían convertido en una casa original y espaciosa. Se trataba de una construcción de madera cuyas ventanas daban a la inmensa explanada donde los niños elevaban las cometas. Hacía muchísimos años que Li-Yun había construido un entresuelo, donde había instalado su taller. En la casa había pocos muebles y muchas plantas. En un rincón, cerca de la entrada, una antigua hornilla de puertas de cobre daba un aire misterioso a la pieza. Encima de la hornilla, y asimismo colgadas del techo, había cacerolas también de cobre. De una pared lateral colgaban cucharones de madera y porcelana. A su lado había una colección de platos y tazas de colores. Todo relucía e invitaba al aroma y al sabor, pues Li-Yun era un maravilloso cocinero, especialista en sopas. Con la misma fantasía y la misma devoción con las que fabricaba sus cometas, preparaba sus sopas. Las hacía de pescado, de legumbres, de pollo, de langostinos, de cebada, de arroz o de muchas cosas mezcladas. En un estante, una hilera de frascos transparentes guardaba las especias, las esencias, que hacían suspirar a todo el que pasaba por la casa de Li-Yun cuando este estaba cocinando. Pimienta, curry, albahaca, cilantro, jengibre, clavos de olor, canela, comino… Para él, todo lo comestible podía entrar a formar parte de una sopa, así como todo ser animado o inanimado podía vol-

verse cometa. Y sus sopas no solo eran sabrosas, sino también bellas. Li-Yun hacía flores con las zanahorias, aves con las mondaduras del limón, mariposas con las hojas de lechuga. Las sopas se volvían pequeños paisajes que sus invitados dudaban en comenzar a comer, tan hermosos les parecían.

Como Li-Yun era amigo de todo el mundo, casi todo el pueblo había pasado por su mesa. Quizás por eso a los niños del lugar les gustaban las sopas, aunque las que se comiesen en casa no fueran tan deliciosas como las de Li-Yun.

Lo de las sopas, como lo de las cometas, había sido una tradición en la familia de Li-Yun, era algo que tenía que ver con el origen chino de su familia paterna. Los abuelos de Li-Yun se habían instalado en el sur de Francia a fines del siglo XIX, cuando el padre de Li-Yun era aún un niño. Años después, este se casó con una muchacha de Toulouse. La había conocido un día cuando había ido a visitar esa ciudad; se la había encontrado en una papelería donde buscaba nuevos materiales para sus cometas.

Li-Yun vivía solo. Siendo muy joven, se había enamorado de la bailarina de un circo que había armado su carpa en la explanada. El circo se fue al cabo de unas semanas y Li-Yun partió con él. Durante años, nadie tuvo noticias suyas, ni siquiera sus padres, que oteaban todas las tardes el horizonte esperando su retorno.

Un día, acodada en la ventana como de costumbre, la madre lo reconoció a lo lejos. Fue en busca de su marido, lo tomó de la mano sin decir palabra y lo llevó a la ventana. Los ojos del hombre se humedecieron al reconocer el caminar lento de su hijo. Lo esperaron allí, inmóviles, conteniendo la respiración. Li-Yun se echó en sus brazos y ellos lo estrecharon sin reproches, sin preguntas, sin reclamos.

Nadie supo nunca qué había pasado con la bailarina. Durante la cena, mientras Li-Yun saboreaba los maravillosos platos que su madre había preparado, solo hablaba de las tierras que había visto, de los mares por los que había navegado.

Desde entonces, las cometas de Li-Yun se volvieron más hermosas, porque representaban todo lo que su creador había visto en sus años de trotamundos. Fue así como surgieron aves rarísimas, flores que nadie soñó nunca que pudiesen existir, peces extraños. Todos, hechos cometas, surcaban el cielo para regocijo de grandes y chicos.

El retorno de Li-Yun dio tanto que hablar como su ausencia. Cada habitante del pueblo tejió su propia leyenda alrededor de sus posibles aventuras.

Años más tarde, cuando empezó a invitarlos a saborear sus sopas, les contaba las peripecias de esa época, y como sus historias siempre eran diferentes, todos empezaron a sospechar que la mitad eran inventadas. Pero esto nunca les molestó, porque eran relatos extraordinarios que los llevaban a lugares a los que ellos nunca irían por sus propios pies.

En una ocasión, alguien se atrevió a preguntar a Li-Yun por la bailarina. Su semblante se ensombreció de tal manera que su interlocutor no insistió, y desde ese día nadie se atrevió a nombrarla de nuevo. Y a pesar de que, años después de su regreso, Li-Yun se casó con una muchacha del pueblo, todo el mundo sabía que la bailarina ocupaba y ocuparía siempre gran parte de su corazón.

No tuvo hijos con su esposa. Ella, que lo amaba, se entristeció al principio al ver que en su vientre no crecía la vida, pero Li-Yun, con su carácter dulce, le hizo comprender que también podían ser felices los dos solos. Poco a poco, ella lo aceptó y se dedicó a ayudarle con las cometas, pero también a fabricar, alentada por su marido, las hermosas muñecas de trapo que eran su debilidad desde niña. A lo mejor con ello se hacía la ilusión de tener sus propias niñas y, por eso mismo, le daba mucha pena venderlas.

Los años pasaron. Los niños que compraban las cometas de Li-Yun se volvieron hombres y tuvieron hijos que también elevaron, como sus padres, las cometas de Li-Yun. Este envejeció, su pelo se volvió blanco y escaso, su rostro se surcó de arrugas, pero su cuerpo siguió siendo esbelto y ágil; se volvió un poco melancólico, sobre todo después de la muerte de su esposa. Fue por esa época cuando le dio por invitar a la gente del pueblo a su mesa. Era una manera de librarse de la soledad. Li-Yun, sin embargo, no era dado a la tristeza ni a la alegría desbordante. Todo en él era serenidad, y la gente amaba su rostro plácido y su sonrisa, que parecía más luminosa a medida que envejecía.

2

UNA tarde, mientras Li-Yun se afanaba con una cometa de la que se desprendía una profusión de flores doradas, alguien tocó a la puerta. Esto le extrañó mucho, pues nadie en el pueblo se servía del viejo aldabón. Cuando alguien venía a su casa, abría simplemente la puerta y gritaba su nombre.

Li-Yun no corrió a abrir enseguida. Hubo un aldabonazo más, y otro.

–Paciencia, paciencia –exclamó Li-Yun.

Abrió parsimoniosamente. El azul del horizonte enmarcaba la silueta de una muchacha, una hermosa muchacha que él jamás había visto y que, sin embargo, parecía sacada de lo más recóndito de su memoria. ¿Quién era? Li-Yun estaba desconcertado.

–¿Li-Yun…? –dijo la muchacha, vacilante.

–Sí, soy yo –respondió él.

–¿Puedo pasar? –le preguntó ella mientras echaba mano de una enorme maleta.

–Sí, sí, claro, pasa. ¿Quieres acaso una cometa?

–No, vengo en busca de la verdad –repuso la muchacha con un tono resuelto.

–¡Ah! La verdad –repitió Li-Yun, como si las palabras de la recién llegada no le sorprendieran–. La verdad se encuentra en todas partes.

La muchacha se sentó en el sillón más próximo a la cocina, echó una ojeada a su alrededor y sonrió.

–¿Te gusta mi casa? –le preguntó Li-Yun.

–Es muy original –contestó ella con un rastro de sonrisa en los labios.

–Verá, no sé por dónde empezar –dijo la muchacha.

–Por el principio, o por lo que tú crees que es el principio –sugirió Li-Yun.

–Me llamo Xóchitl.

–Qué nombre más raro.

–Es mexicano.

–Mexicano… repitió Li-Yun con voz temblorosa.

Su corazón comenzó a latir precipitadamente, como si presintiera algo. Se sentó junto a ella y le preguntó:

–¿Qué quiere decir tu nombre?

–Flor, en náhuatl.

–¿Náhuatl?

–Es una lengua que aún se habla en México.

Achicando los ojos, Li-Yun examinó a su visitante. ¿Cuántos años podría tener? ¿Quince? ¿Dieciséis? ¡Y esos ojos almendrados y esa piel como de bebé! ¿Adónde lo llevaba la hermosura de ese rostro? ¿A qué rincón de su memoria?

–¿Le recuerdo a alguien? –le preguntó la muchacha al sentirse observada.

–Sí, tal vez –reconoció Li-Yun serenamente.

–Estoy muy cansada, vengo de muy lejos. ¿Podría recostarme un poco?

–Sí, sí –dijo Li-Yun presuroso–. ¿Quieres un poco de té?

La muchacha aceptó, y Li-Yun corrió a poner el agua al fuego. Un momento después, le traía en una bandeja un té humeante y aromoso, pero la chica se había quedado dormida.

Li-Yun se sentó frente a ella, se sirvió una taza de té y la bebió sin quitar los ojos de su misteriosa visitante. Cuando terminó, fue a buscar un pañolón de seda que había pertenecido a su esposa y arropó con él a la joven. Se fue luego a terminar su

20

labor, pero no logró concentrarse. Se sentó entonces junto a la ventana y cerró los ojos. Retazos del pasado se agolparon en su memoria, y en medio de todos los recuerdos, un rostro lo miraba. Un rostro que siempre había querido relegar a los confines de su memoria.

3

Li-Yun no tuvo más remedio que dejarse invadir por los recuerdos, y estos lo llevaron muy lejos en el tiempo.

–Definitivamente, no tienes alma de bailarín.

Li-Yun sonrió. Qué linda era y qué gracia tenía cuando bailaba.

–¿Quieres ensayar de nuevo? –le preguntó ella con ternura.

–¿Tú crees que vale la pena, Salomé?

Ambos rieron y se abrazaron.

¿Cuánto hacía que viajaba de un lado a otro? ¿Cuánto hacía que había dejado su país? ¿Cuánto hacía que el amor de Salomé llenaba su vida? Ya no se acordaba, y no importaba. Eran jóvenes y el mundo era inmenso, y tenían toda la vida por delante para recorrerlo con sus amigos del circo.

El tiempo fue pasando. El circo seguía y seguía su camino errante. Un día abrió sus puertas en una ciudad blanca. Siempre, antes de cada función, Li-Yun acostumbraba a dar un paseo por las ciudades a las que llegaban; en general lo hacía con Salomé, pero esta vez fue solo, porque ella se sentía muy cansada.

Una calle empedrada lo llevó a la plaza principal, y lo que allí vio lo dejó clavado al suelo. En la inmensa plaza, la gente corría de un lado a otro haciendo volar las cometas más insólitas. Jamás Li-Yun había visto un cielo tan encometado. Se diría más bien que el cielo ni se veía de tantas cometas que lo habitaban. Li-Yun sintió una punzada en su corazón; las cometas eran muy distintas de las que él había fabricado en otro tiempo. Se sentó en un banco cerca de la iglesia a mirarlas. Eran bellas, pero ninguna igualaba en hermosura a las que habían salido de las manos de su abuelo, de su padre o de las suyas mismas. La nostalgia se le metió en el alma y, desde ese momento, no le dejó ni un instante de reposo. Empezó a extrañar su casa, a su familia, su pueblo, el cielo encometado que se divisaba desde su ventana, los niños que adoraban sus cometas, las sopas de su madre…

No le contó nada de esto a Salomé, pero ella vio cómo él se volvía cada vez más silencioso y triste, cada día más distante. Li-Yun luchó contra ese sentimiento que le había quitado la tranquilidad, pero como no logró superarlo, tuvo que confesar a Salomé lo que le pasaba; y ella, temblorosa, le dijo a su vez que si no había podido acompañarlo en sus paseos por la ciudad, era porque se sentía muy cansada a causa de su embarazo…

¡Un hijo! ¡Salomé iba a tener un hijo! El mundo se le vino abajo y, como si súbitamente cayese en una borrachera, Li-Yun se tambaleó y tuvo que sentarse. Y así, con la cabeza entre las manos, se quedó una eternidad. No, no quería, eran muy jóvenes. No quería que el cuerpo esbelto de Salomé cambiara, no quería que Salomé se volviera una señora. Le encantaban los niños, siempre había vivido rodeado de ellos, para ellos había fabricado cometas durante años, pero tener él mismo un niño era algo que nunca le había pasado por la mente. Él quería una vida tranquila; no quería temblar por un hijo. Salomé le bastaba para ser feliz, no deseaba nada más; y en todo caso, no un hijo. Tuvo como un sobresalto: no era feliz y ni él mismo sabía por qué.

Li-Yun no pudo decir nada a Salomé, la abrazó y se fue luego a recorrer las calles.

Solo tentía una idea en la cabeza: regresar. Después de mucho pensar, volvió donde Salomé y le propuso que regresaran a su pueblo al sur de Francia y se instalaran allí. Salomé lo miró tristemente y le dijo:

–No puedo obligarte a quedarte a mi lado y tampoco puedo irme contigo. No quiero instalarme en ningún sitio, soy una trotamundos. Sé que nunca habías pensado en tener hijos…

¿Qué hacer? Amaba a Salomé, pero la nostalgia lo atormentaba tanto que no se sentía con fuerzas para quedarse. Y un hijo, él no había pensado tener un hijo…

Durante días vivió como un sonámbulo, agotado de tanto pensar, de tanto dudar, de no saber qué hacer; hasta que una mañana se despertó con el recuerdo de una frase de su madre: «Lo que cansa es la indecisión. Cuando uno decide, aunque se equivoque, se quita un peso de encima».

Li-Yun salió entonces de su mundo de dudas, se decidió. Y partió.

Li-Yun volvió a su realidad, dejó de lado sus recuerdos, se puso de pie y cerró la ventana. La noche había caído lentamente. Prendió una lámpara parecida a un farol, fue a echar una ojeada a la muchacha y vio que aún dormía. «El pasado no se va nunca», se dijo.

Trabajó un poco más en sus cometas, luego se tomó una sopa y se fue a la cama más temprano que de costumbre. Antes, cubrió con una manta a la chica, que seguía durmiendo profundamente.

Ya en su cuarto, Li-Yun se metió en la cama; pero el sueño huyó de él. Su mente no tenía lugar sino para los recuerdos.

Nadie supo nunca cuántos tormentos escondía la aparente serenidad de Li-Yun. Nadie supo nunca que, tras su regreso, no había pasado un solo día en que no pensara en Salomé y en el hijo que jamás conoció. Cuando la alegría del regreso se esfumó, la ausencia de Salomé comenzó a atormentarlo. Por eso se dedicó de modo febril a la fabricación de sus cometas. Trabajaba día y noche para enmascarar su dolor. Cuanto más pasaba el tiempo, menos podía explicarse por qué había abandonado a la mujer que amaba. Pensó en buscar a Salomé, pero ¿cómo?, ¿en qué ciudad?, ¿en qué país? Un circo era la vida errante en esencia. Sin embargo, escribió a varias personas que había conocido en su época de trotamundos. Dos le contestaron diciéndole que nunca más habían tenido noticias del circo. Y Salomé jamás le escribió.

El tiempo fue cicatrizando poco a poco las heridas, escondiendo la culpabilidad y enmascarando el deseo de conocer al hijo. Li-Yun se casó y, si es verdad que no quiso a su mujer como había querido a Salomé, tampoco fue infeliz ni la hizo infeliz.

Pero para Li-Yun Salomé había sido la mujer incomparable. Se había enamorado de esos ojos verdes y rasgados, de sus cejas negras y espesas, de su cabellera color carbón que ella acostumbraba trenzar al estilo de las campesinas de su país. Cuando la vio bailar por primera vez en el espectáculo, había sabido enseguida que esa mujer menuda y grácil le había robado el corazón.

Desde ese día no hizo más que rondar el circo, hasta que encontró a Salomé sola. El circo se había instalado en la explanada de las cometas. Salomé miraba extasiada esas aves de papel navegando en el cielo. Li-Yun se le acercó.

–¿Le gustan?

La muchacha, que no lo había visto, se sobresaltó.

–Sí, me encantan.

Li-Yun sonrió a causa del acento de la joven.

–¿De dónde es?

–De México.

–¿Y dónde aprendió francés?

–En los viajes. Cuando voy de un lado para otro hago dos cosas: miro el paisaje y estudio lenguas.

Luego lo observó atentamente y añadió:

–Usted es chino, supongo.

–Padre chino, madre francesa.

–Vaya mezcla –comentó la joven divertida.

Así empezaron. Todas las mañanas, Li-Yun venía a verla, y también durante la noche acudía a la función.

No le contó enseguida que era él quien fabricaba las cometas. Cuando ella lo supo, no pudo ocultar su admiración; entonces le enseñó cómo se decía cometa en México:

–Papalote –repitió Li-Yun riendo–, papalote.

–Entonces deben de gustarle mucho los niños –le dijo Salomé.

–Sí, pero los de los demás. No pienso tener hijos, no me siento capaz de asumir semejante responsabilidad.

–Qué extraño –comentó ella sorprendida.

–¿Por qué? No todo el mundo tiene por qué tener hijos.

–Es verdad… –dijo ella, pensativa.

Un día, Li-Yun llevó a Salomé a París. Tomaron el tren en la estación del pueblo. Salomé no cabía en sí de felicidad. Ella, que desde hacía varios años viajaba, no conocía muy bien las ciudades que había visitado. Los ensayos no le dejaban mucho tiempo para hacer turismo, y tampoco tenía a nadie que la acompañara en una pequeña correría. A veces iba de compras con Celia, una de las trapecistas, pero nunca había podido convencerla para ir con ella a recorrer una ciudad solamente por el placer de conocerla. A Celia solo le interesaba ir en busca de nuevos trajes para su espectáculo. París estaba lejos.

Cuando llegaron, Salomé, como casi todo el mundo, quiso visitar la torre Eiffel, el Arco del Triunfo, los Campos Elíseos, el museo del Louvre y la catedral de Nuestra Señora. Parecía una niña admirándolo todo. Fueron días de maratón. Iban de un lado a otro en bus, en metro, a pie. Lo que más le gustó a Salomé en el Louvre no fue la *Gioconda*, sino el cuadro del Veronese *Las Bodas de Canaán*, la Venus de Milo y los esclavos de Miguel Ángel. En la catedral de Nuestra Señora prendió un cirio y formuló un deseo. Li-Yun la miraba hacer, divertido.

Fueron a la colina de Montmartre y a la plaza de la Concordia. Recorrieron calles antiguas y parques florecidos. Regresaron al pueblo tres días después, al anochecer, exhaustos pero felices. Antes de dejar a Salomé en el circo, Li-Yun le dijo una vez más que la amaba y que la seguiría hasta el fin del mundo.

Los ojos de Salomé brillaron de contento. Era la primera vez que un joven no le pedía que dejase el circo; era la primera vez que un hombre tenía el coraje de decirle que lo dejaría todo por seguirla.

Cuando el circo levantó su carpa, Li-Yun se fue con él.

Salomé había contado a Li-Yun toda su vida. Quería que él supiera de dónde venía, qué le gustaba, con qué soñaba. Mientras la caravana del circo recorría las carreteras de Francia, rumbo a Italia, Salomé le contó su infancia de niña campesina; criada por la abuela, porque sus padres se habían ido a trabajar a los Estados Unidos. A pesar de la distancia, Salomé los había querido muchísimo. La abuela siempre le había dicho que su padre no había sido otra cosa que un señoritingo, Juan de los Palotes, que se había llevado lejos a su hija, seguramente para hacerle pasar hambre.

–Lo único que sabe hacer en la vida es bailar. Así como tú. Hijo de tigre sale pintado –le había dicho la abuela mil veces.

Pero, a pesar del rencor que le había guardado a su padre, aplaudía a la niña cuando bailaba y le buscaba en la radio las emisoras musicales, primero, y después le ponía discos en el equipo de sonido que los padres habían enviado de regalo a Salomé cuando esta cumplió doce años.

La abuela educó a Salomé con mano de hierro. Le daba palizas cuando sacaba malas notas en la escuela, y le prohibía la música durante días. Esto era lo peor: el dolor de la paliza pasaba rápido, pero la ausencia de la música, no.

Aunque la abuela fuese dura, Salomé sabía que la amaba, que ella era «la luz de su vida». Cuando sus padres quisieron llevársela con ellos, la abuela enfermó tan gravemente que no tuvieron corazón para quitarle a Salomé, y esta estaba tan apegada a su abuela que se quedó feliz a su lado.

La finca de la abuela, aunque pequeñita, les daba cierta holgura, y contaban además con el dinero que mandaban los padres para su educación. Cuando Salomé cumplió nueve años, la abuela la inscribió en un curso de danza en la ciudad más próxima. Hacían el viaje dos veces por semana y, como la abuela no tenía a donde ir durante la clase, se quedaba allí mirando. Salomé veía el orgullo en sus ojos, y se esforzaba por bailar cada vez mejor.

El tiempo pasó, y un día la abuela se fue de este mundo. Salomé tenía diecisiete años. Se murió cuando su nieta era ya una mujer, tal como le había prometido: «¡Ah, no! No me moriré mientras tú necesites de mí; eso será cuando seas una señorita hecha y derecha».

Con el permiso de sus padres, Salomé vendió la finca unos meses después y se fue con el circo. Le había costado un poco de trabajo convencer a su dueño de que la contratara.

–El espectáculo de un circo se compone de rarezas o de números peligrosos. ¿Qué acrobacia peligrosa puede ejecutar una bailarina? ¿Qué tiene de raro una bailarina? –le había dicho.

–Déjeme bailar para usted y para los demás artistas –le había pedido Salomé sin desanimarse.

Le respondió que no, pero ella insistió. Finalmente, el hombre accedió.

Al día siguiente se presentó en el circo cargada con una maleta. Celia, la trapecista, le prestó su camerino, y cuando Salomé salió de él un rato después, nadie pudo ocultar su admiración. Estaba majestuosa con su traje largo de volantes y encajes, lucía aretes de pedrería y había recogido su cabello alrededor de la cabeza en trenzas adornadas con cintas. Bailó con una gracia inigualable. En verdad, Salomé no había hecho otra cosa en su vida que bailar con pasión todas las danzas de América.

Cuando terminó, los del circo la aplaudieron con mucho entusiasmo.

–Bienvenida a nuestro circo –le dijo el director.

Salomé sonrió feliz, y Celia vino a abrazarla. Ahí comenzó su amistad.

–Le haces honor a tu nombre, Salomé –la alabó Celia.

–¿Por la Salomé de la Biblia? Eso mismo decía mi abuela –repuso ella, y agregó–: A la pobre le habría dado un ataque si me hubiese visto trabajando en un circo.

4

Li-Yun no durmió en toda la noche. Se levantó temprano y, sigilosamente, se fue a la cocina a poner el agua para el té. Miró a la joven dormida y su corazón se aceleró tanto que le parecía que ella iba a oír ese retumbar que le quitaba el aliento.

–¿Qué hora es? –oyó que decía ella de pronto.

–Las ocho, creo –respondió él, reponiéndose de la sorpresa que le causó su voz.

–He dormido como un tronco –bostezó la muchacha.

–Aprovecha ahora que eres joven –le dijo Li-Yun.

–¿Por qué? ¿Cuando se es viejo no se duerme? –le preguntó la muchacha sonriendo.

–¡Ah!, mucho menos. Hay más recuerdos y menos futuro –declaró Li-Yun mientras se afanaba con el té.

–¿Podría tomar un poco de café? –pidió Xóchitl.

–Por supuesto. Por aquí tengo un tarro reservado para las visitas. ¿No te gusta el té? –le preguntó Li-Yun.

–Me gusta más el café. Yo lo preparo –le dijo ella mientras se desperezaba.

Li-Yun la observó. Esos gestos ya los conocía. Esa manera de estirar los brazos, de recogerse el cabello. Li-Yun sintió que iba a ponerse a llorar, a llorar como un niño de setenta y cinco años. A llorar por un pasado irrecuperable, a llorar todas las lágrimas que se había tragado en su larga vida de silencio.

–Siempre me ha parecido maravilloso el primer café del día –agregó la joven, ajena a todo el tormento de Li-Yun.

Li-Yun no dijo nada. Tomó la tetera, la puso en la mesa y dejó a Xóchitl encargarse del café.

–¿Le molesta si me quedo algunos días en su casa? –le dijo la chica de pronto.

A decir verdad, Li-Yun se lo esperaba; después de todo, ese desparpajo le era familiar. Además, ¿dónde iba a encontrar ella lo que había venido a buscar sino allí, en su casa?

–No, no me molesta; por el contrario, esta es tu casa –repuso Li-Yun con un ligero temblor en la voz.

–Sí, creo que sí… –asintió ella, y le preguntó enseguida–: ¿Dónde está el azúcar?

–Aquí en la mesa. Ven a sentarte, Xoch… –dijo Li-Yun titubeante.

–Xóchitl, pronunciando la t y la l –explicó la chica.

–Xóchi… tl… –repitió lentamente Li-Yun.

Ella sonrió.

–¿Quieres la verdad ahora? –la pregunta salió como un rayo de la boca de Li-Yun, sin que él mismo se diera cuenta.

Por toda respuesta, Xóchitl lo miró fijamente y le dijo:

–Parece cansado. No vine a quitarle el sueño.

–No eres tú quien me lo quita –dijo Li-Yun–. Soy yo mismo. Hace años, me fabriqué este insomnio.

Xóchitl no le dijo nada, volvió a mirarlo con fijeza y, de pronto, manifestó alegremente:

–Tengo un hambre terrible; anoche me salté la comida. ¿Dónde hay una panadería? Quiero comer verdaderos *croissants*.

–Yo voy, deja que me cambie –se ofreció Li-Yun divertido.

–No, eso es perder tiempo. Ya estoy lista, es una de las ventajas de acostarse vestido –replicó ella mientras se ponía de pie.

Li-Yun le señaló desde la puerta la panadería más cercana. Poco después, Xóchitl volvía con una bolsa llena de *croissants* recién salidos del horno. Luego, mientras ella desayunaba, Li-Yun le preguntó:

–¿Qué edad tienes?

–¡Ya está! La abuela me lo advirtió: «Los franceses siempre andan preguntando la edad a la gente» –exclamó la muchacha simulando enojo.

«¿La abuela? ¿Salomé?», se preguntó Li-Yun en silencio, con el corazón en vilo.

–Dieciséis… Aún no tengo edad para esconder la edad –declaró mientras echaba mano de otro *croissant*.

–¿Y ya vas sola por el mundo? –quiso saber Li-Yun.

–¿Me dirías lo mismo si fuera un chico? –replicó Xóchitl tuteando a Li-Yun de repente, como si fuera lo más natural.

–Perdona, pero pareces una niñita –fue la respuesta de Li-Yun.

–Bueno, la verdad es que no fue fácil conseguir el permiso de papá. Si no fuera porque la abuela y mamá me ayudaron a convencerlo, no habría puesto un pie fuera de México –reconoció Xóchitl, que se había levantado de la mesa y se envolvía en el chal de la esposa de Li-Yun.

«¿Su padre?, ¿mi hijo?, ¿su madre?, ¿mi hija?», se preguntaba Li-Yun en silencio. ¿Sabía ella que le hacía daño? ¿Decía esas cosas adrede? No, no parecía.

Li-Yun abrió las persianas. El sol se coló por todas las habitaciones como si estuviese impaciente por llenarlas con su luz. Xóchitl descubrió entonces la casa de Li-Yun. Envuelta en el pañolón, recorrió la cocina, la sala con sus cojines floreados, su mesa de laca y sus hermosas *tankas* colgadas en las paredes. Se asomó al austero cuarto de Li-Yun. Era una habitación blanca, tapizada con esterilla. En la mitad había una cama casi a ras de suelo, con un cubrelecho rojo ribeteado con galones y bordados. De una pared colgaba una hemosísima cometa en todos los tonos del arco iris. Era un enorme dragón de fina seda, de alas transparentes, salpicadas de puntos brillantes. Un cuarto contiguo daba a un pequeño jardín, y en una de sus paredes había también una cometa que representaba a un ángel de túnica verde agua y alas doradas.

Xóchitl volvió a la cocina pensativa. Li-Yun ya se había vestido.

–¿Te vas? –le preguntó la chica.

Li-Yun ya iba a responder cuando, en esas, la puerta se abrió de par en par y un muchachito de pelo rojo alborotado entró como una tromba. A duras penas sostenía una cometa rota.

–¡Li-Yun! ¡Li-Yun! Se ha roto –le dijo el niño con cara de desolación.

–Calma, Dimitri, calma –le tranquilizó Li-Yun mientras cogía la cometa para examinarla–. ¿Se rompió mientras volaba? –le preguntó muy serio.

–No… –dijo el niño–. Fue en el garaje con la bicicleta… Entré corriendo y no la vi.

–La repararé, no te preocupes –le dijo Li-Yun.

Los ojos del niño se iluminaron.

–Mira, te presento a Xóchitl –le dijo Li-Yun.

–¿Quién eres? –le preguntó el niño mirándola fijamente a los ojos.

–La nieta de Li-Yun –declaró Xóchitl de sopetón.

–¿La nieta de Li-Yun? Pero si él no tiene hijos… –balbuceó Dimitri desconcertado.

Li-Yun sintió que le faltaba el aliento. Franca-
mente, esa muchacha era imprevisible; cuando él
menos se lo esperaba, decía unas cosas…

–¿Es tu nieta, Li-Yun? –le preguntó Dimitri.

–Sí… –asintió Li-Yun con voz casi inaudible.

El niño lo miró estupefacto y, sin decir nada, se
fue como había llegado.

Li-Yun miró a Xóchitl. Estaba acongojado,
como vencido.

Xóchitl bajó la mirada y dijo:

–Papá dice que yo no hago ninguna diferencia
entre lo trascendental y lo que no lo es, y que un
día voy a causar una catástrofe. Perdón. Yo sé que,
apenas me viste, supiste quién era. Según la familia y los amigos, soy el vivo retrato de la abuela.
Ahora Dimitri va a decírselo a todo el mundo y tú
vas a tener problemas.

–¿Qué problemas puede tener un viejo como
yo? Además, Dimitri siempre ha dicho que no le
gustan los chismes. Nunca cuenta nada.

–Al mundo le hacen falta muchos Dimitris
–y pasando a otro tema totalmente distinto, como
solía, Xóchitl dijo a Li-Yun–: Quisiera tomar un
baño e ir a pasear.

Sin esperar respuesta se dirigió al baño, dejando a Li-Yun sumido en la confusión. Una hora después, tomó el camino que le indicó Li-Yun.

Los muchachos la miraron a su paso, sorprendidos por su rara belleza. Xóchitl apenas los veía, pues estaba ocupada contemplando las casas, las calles empedradas, el cielo que su abuela tantas veces le había descrito. Todo lo que descubría la alegraba y la hacía sonreír. Nada la maravillaba más que los sitios que nunca había pisado. Una vida era corta para recorrer la inmensidad del planeta: eso le había dicho a su padre cuando se le metió en la cabeza la idea de conocer a su abuelo.

–Es él quien debe venir a nuestro encuentro –había dicho su padre con rencor.

–Ni siquiera sabe que existimos –le había replicado Xóchitl.

Salomé, allí presente, había lanzado a su hijo una mirada llena de ternura, como diciéndole cuánto lo comprendía, pero pidiéndole a la vez que dejase ir a su hija en busca del pasado.

–Xóchitl, ¿tú quieres viajar o buscar a tu abuelo? –había preguntado el padre.

—Las dos cosas, una no impide la otra —había dicho ella colgándose de su cuello.

—Yo no he atravesado ninguna frontera y mi hija, como mi madre, quiere atravesarlas todas. Hay enfermedades que saltan una generación —dijo el padre.

—Querer conocer el mundo no es síntoma de ninguna enfermedad —dijo Salomé serenamente, y agregó—: Si no fuera por mi corazón, estaría aún dando lata por los caminos de este ancho mundo. La verdad es que yo sin corazón estaría perfecta, es lo único que cojea en mi organismo.

—¡Sin corazón! Ahí estás pintada, abue —dijo Xóchitl mientras se desternillaba de risa.

Embebida en sus recuerdos, Xóchitl se había recostado en la baranda de un mirador que daba a una playa desierta.

—Dentro de un momento estará llena —dijo una voz a su lado.

Era Dimitri.

—¿Cómo dices que te llamas? —preguntó Dimitri a una Xóchitl sorprendida.

—Xóchitl —pronunció ella lentamente.

—¿De dónde es ese nombre? No eres francesa… —dijo Dimitri.

–No, soy mexicana –le contestó la chica con la mirada perdida en el horizonte.

–¿Eres de verdad-verdad la nieta de Li-Yun?

–Sí...

–¿Y por qué sabes hablar francés? –siguió preguntando el niño.

–Hice todos mis estudios en el Liceo Francés de Ciudad de México, y además hablo mucho con la abuela Salomé en francés –respondió Xóchitl.

–¡La bailarina! ¡Eres nieta de la bailarina! –exclamó Dimitri exaltado.

–No vas a contarlo, ¿verdad? Pero ¿y cómo sabes que la abuela fue bailarina? –le preguntó Xóchitl.

–Todo el pueblo lo sabe. Los abuelos han contado la historia a los padres y los padres a los hijos. Mis amigos creen que son puros cuentos; bueno, yo también lo creía... –confesó el niño intimidado.

–¿Y por qué todos conocen la vida de Li-Yun? –preguntó Xóchitl algo molesta.

–Aquí se sabe todo, este es un pueblo pequeño. Además, Li-Yun es un caso aparte... –dijo el niño con respeto.

–¿Por qué aparte? –preguntó Xóchitl intrigada.

–Por lo de las cometas y lo de las sopas –respondió el niño recostándose en el mirador.

–¿Las sopas? ¿Qué sopas? –inquirió la chica.

–Li-Yun prepara las mejores sopas del mundo. A todos nos ha invitado a tomarlas –contestó Dimitri orgulloso.

–¿A todos? –preguntó Xóchitl aún más intrigada.

–Bueno, a mucha gente del pueblo, sean sus amigos o no; Li-Yun siempre encuentra un pretexto para la invitación. ¿Sabes?, no son solo las cometas y las sopas: es él mismo, es un viejo súper. Nunca se sale de sus casillas, no se mete con nadie. A veces parece vivir en otro mundo. Nunca habla de sí mismo. Mamá dice que Li-Yun debe de tener en su corazón una montaña de secretos.

Xóchitl no dijo nada; necesitaba tiempo para asimilar todo lo que le había dicho Dimitri.

–¿Quieres que te muestre la playa donde voy con mamá?

–¿Está lejos?

–¿No te gusta caminar? –dijo el niño poniéndose de pie.

–Me encanta caminar; creo que es la mejor manera de conocer el mundo –repuso la chica.

Se fueron caminando felices, como si partiesen a la conquista de un reino.

Horas después, cuando Xóchitl regresó a casa de Li-Yun, encontró a este atareado con sus cometas.

–Jamás las he visto tan bellas –murmuró Xóchitl mientras paseaba la mirada por las cometas multicolores que colgaban de los muros del taller.

–Gracias –le dijo Li-Yun emocionado.

–Las mejores descripciones de la abuela no las igualan –siguió diciendo la joven.

Li-Yun sintió que su corazón daba un vuelco. ¿Cómo era posible que el pasado viniera a trastornar su vida de esa manera? Desde que Xóchitl había llegado, el rostro de Salomé no lo abandonaba ni un instante, y oía su voz hasta en el sueño más profundo.

–¿Cómo está Salomé? –preguntó Li-Yun con voz temblorosa.

Xóchitl lo miró con ternura y respondió:

–Bien, bueno, aparte de su corazón… Ella dice que si no tuviera corazón, estaría perfecta.

Li-Yun no pudo menos que sonreír.

–¿Por qué la dejaste, abue? –sin darse cuenta, Xóchitl lo llamó exactamente como llamaba a su abuela.

Li-Yun se le acercó, la abrazó y le dijo con una mirada que parecía perdida en el pasado:

–Por miedo.

–¿Miedo de qué?

Li-Yun empezó entonces a contarle su historia de amor con Salomé. Le habló de la terrible nostalgia que un día se había apoderado de él. De su miedo de ver a Salomé transformada en madre. De su decisión de no tener hijos.

Xóchitl lo miró sin interrumpirlo. Cuando Li-Yun terminó, le preguntó:

–¿A todo el mundo le da miedo crecer, abue?

–No, afortunadamente; pero yo era muy joven… De todas maneras, fui yo quien salió perdiendo, y ahora es muy tarde para lamentarse. Y, sin embargo, me lamento y me lamentaré hasta mi último suspiro.

–Es verdad que saliste perdiendo… –asintió Xóchitl con voz pausada–. Jamás viste a papá de bebé…

–Es él mi hijo… –musitó Li-Yun interrumpiéndola.

–Sí, abue…

–Es él… Es verdad, no lo vi dando sus primeros pasos, no oí sus primeras palabras, no vi su ansiedad el primer día de escuela, no estuve a su lado para consolarlo cuando se peleó por primera vez, no lo vi atravesar la infancia ni la adolescencia, no lo vi hacerse hombre, no lo vi enamorado, no vi su emoción cuando llegaste al mundo… –dijo Li-Yun quedamente.

–No viste tampoco a la abuela hacerse cada vez más bella a pesar de la vejez. La abuela ha envejecido sin envejecer. No sé cómo explicarlo. Tal vez se deba a su espíritu optimista y alegre, al hecho de que nunca dejó de practicar el baile. Abue no ha dicho nunca nada desagradable sobre ti, a nadie y mucho menos a papá. Si hay que rendirle cuentas a alguien, es a papá a quien debes rendirlas –dijo Xóchitl.

Li-Yun tenía los ojos brillantes. Todo lo que acababa de decir su nieta era justo. Jamás se imaginó que fuese una muchacha, casi una niña, quien viniese a recordarle que tenía una cuenta pendiente consigo mismo, con Salomé, con su hijo, con la vida. Se daba cuenta de que no era posible escapar de sí mismo, de su verdad.

–Papá es actor; al fin y al cabo, hijo de saltimbanqui, dice la abuela. Trabaja en la televisión. Es muy apuesto. Tiene la forma de tus ojos, pero verdes como los de la abuela; tiene tu estatura, tu contextura fina. Tiene también tus gestos: esto me ha dejado boquiabierta, cómo puede tener tus gestos si nunca te ha visto. Tiene mucho carácter, y es rencoroso. Se llama Santiago.

–Como el amigo de Dimitri –pensó Li-Yun, y se preguntó, también en silencio, si su corazón iba a soportar tanta revelación. Pero a la vez sabía que lo soportaría.

–Vine porque quería conocerte, porque siempre, desde muy niña, he pedido a la abuela que me cuente la historia de su vida. Al principio me la contaba como si fuese un cuento: «Había una vez una muchacha a la que le encantaba bailar…». Tú eras el príncipe… Y yo te imaginaba vestido ricamente, elevando cometas fabulosas –dijo Xóchitl con dulzura.

–Te debes de haber llevado una amarga decepción –apuntó Li-Yun rompiendo su silencio.

–No, abue, aún pareces un príncipe. Además, sigues siendo un personaje, es lo que me dijo Dimitri –dijo Xóchitl mirándolo a los ojos.

–¿Viste a Dimitri en la playa?

–Sí, estuvimos paseando.

–¿Te fijaste en su manera de mirar? Nunca he visto esa mirada en ningún niño. Me hace pensar en un rey que, instalado en su trono, mira con absoluta serenidad a cuantos le rodean, poderosos o no. Listo para el asombro, pero también de vuelta del asombro –dijo Li-Yun mientras recogía del suelo una estela–. Además observa, observa en silencio.

–Como tú –declaró Xochitl con una sonrisa.

–Sí, nos parecemos. Quizás por eso me he hecho la ilusión de que es mi nieto… –reconoció Li-Yun enrojeciendo.

–En todo caso, él parece quererte mucho –dijo Xóchitl.

Durante días no volvieron a hablar del pasado. Xóchitl veía a Dimitri muy a menudo. Una tarde en la que acompañaba al niño a elevar una cometa, conoció a su madre. Venía a buscarlo para llevarlo al dentista. Era una mujer menuda, de pelo castaño, rizado y abundante, de mirada directa y franca.

–Es Xóchitl –la presentó el niño mientras besaba a su madre.

–Hola, Xóchitl. Dimitri no habla sino de ti. Has desplazado a Li-Yun –saludó la madre con una amplia sonrisa.

Xóchitl los acompañó un buen trecho. Hablaron de México y, silenciosamente, la chica le agradició que no le preguntara nada sobre su parentesco con Li-Yun. Se despidieron con la promesa de verse pronto.

Xóchitl tomó la costumbre de sentarse al lado de Li-Yun cuando este preparaba sus sopas y cuando fabricaba sus cometas. La muchacha parecía embrujada por la poesía con que su abuelo impregnaba los dos campos creativos de su vida.

Li-Yun cortaba los pimentones y disponía los langostinos con la misma delicadeza con la que cortaba el papel de sus cometas o combinaba los elementos de las estelas. Cada gesto, hasta el más simple, parecía único, como si el mundo entero dependiera de él. Preparar cada sopa o fabricar cada cometa parecía ser lo más importante de su existencia. Xóchitl se lo dijo un día en que Li-Yun daba los últimos toques a una cometa.

–Lo único que existe es el ahora, Xóchitl. El universo está en cada gesto cuando lo vivimos de corazón. Las sopas y las cometas son las únicas cosas que sé hacer, y creo que debo hacerlas bien, ¿no te parece? –dijo Li-Yun mientras colgaba la nueva cometa en una de las paredes.

–Pero el pasado te amarga –le dijo Xóchitl.

–Sí, porque cuando ese pasado fue presente, lo viví pensando en el futuro. Abandoné a Salomé porque me dejé invadir por la nostalgia de mi gente y de mi tierra. Volví a ellos y tampoco me sentí satisfecho. No me sentía en casa y tampoco estaba con Salomé. Me había sentido demasiado joven para tener un hijo. Me hacía un nudo con un futuro imaginario. Bueno, de hecho, todo futuro lo es.

–Te volviste sabio… –apuntó Xóchitl con malicia.

–No, pero había encontrado cierta paz en medio de un semiolvido, hasta que tú llegaste –repuso Li-Yun.

–Soy una aguafiestas.

–No, Xóchitl, fue la vida la que te trajo. ¿Sabes?, ella no nos excusa fácilmente.

–¿Piensas ver a papá un día?

–Creo que enfrentar el peor de los peligros no me produciría tanto miedo como el que me produce la sola idea de ver a tu padre –confesó Li-Yun con voz ronca.

–A tu hijo… –dijo Xóchitl.

–A mi hijo… –repitió Li-Yun.

–Abue, ¿puedo usar tu teléfono? –le preguntó la chica de repente.

–¡Claro! ¿Quieres llamar a tu casa?

–Sí, llamaré pagando allá.

–No te preocupes, yo pagaré; así los de la empresa de teléfonos se alegrarán. Mis cuentas deben de ser las más bajas del país. Casi nunca uso el teléfono.

–Abue, el que a estas alturas no usa el teléfono es un cavernícola.

–No quiero que se me olvide caminar. Este es un pueblo, no muy grande, como has podido ver; todo lo tienes a mano. Además, me gusta ver la cara de la gente cuando le hablo. Como no soy muy hablador, me gusta observar, adivinar lo que hay detrás de las miradas, de las expresiones. No creas que estoy en contra del progreso, eso no –aclaró Li-Yun mesándose los cabellos.

Esas conversaciones tenían lugar en las pausas que hacía Li-Yun en medio de su trabajo. Cuando estaba atareado con sus cometas, Xóchitl no le hablaba; eso habría sido como interrumpir a un pianista en un concierto o a un sacerdote en plena ceremonia.

–¿Quieres que te deje sola para que hables con tus padres? Deben de estar en vilo… –dijo Li-Yun.

–Están acostumbrados. ¿Sabes? Papá dice que aun estando allá los mantengo en vilo –dijo Xóchitl muerta de la risa–. De todas maneras, ya los había llamado desde una cabina.

–¿Y cómo es que te dejan ir sola por el mundo siendo tan joven? –preguntó Li-Yun.

–Hay que empezar pronto a recorrer el mundo, abue; si no, uno no alcanza a verlo todo. Dentro de unos días me voy para Roma, a casa de unos amigos de papá y mamá –le respondió Xóchitl muy seria, y agregó–: Tú te fuiste muy joven.

–No tanto como tú –respondió Li-Yun.

5

UNA noche, una tormenta sorprendió a Li-Yun cuando volvía a casa cargado con materiales para sus cometas. Llegó calado hasta los huesos. Xóchitl se había ido a Marsella con Dimitri y la madre de este.

Li-Yun se acostó, pero le fue imposible conciliar el sueño, pues la fiebre lo consumía y la cabeza le dolía terriblemente. A duras penas pudo levantarse para tomar unas medicinas. Al final terminó por dormirse.

Al otro día no se sentía nada bien, pero no dijo ni una palabra a Xóchitl.

–Tienes mala cara, abue, ¿te pasa algo? –le preguntó inquieta.

–No, solo estoy un poco cansado –le contestó Li-Yun mientras empezaba a preparar el desayuno.

–Mañana me voy para Roma, abue –le dijo Xóchitl.

–¿Para Roma? –dijo Li-Yun sorprendido.

–Sí, te dije que iba a ir a Roma, ¿lo olvidaste?

–Ah, Xóchitl, la memoria de un viejo es un desastre –declaró Li-Yun con cara de desolación.

–Pero te acuerdas muy bien de tu vida al lado de la abuela Salomé, de tus viajes… –le replicó la muchacha, sorprendida por lo que consideraba una contradicción.

–En la vejez, la memoria te lleva a la infancia, a la juventud, pero te borra lo más reciente –le explicó Li-Yun mientras le acariciaba la cabeza.

–Volveré dentro de dos semanas, antes de irme para México –le informó Xóchitl.

–Y yo me sentiré feliz de volverte a ver, paloma mensajera –le dijo Li-Yun estrechándola entre sus brazos.

Xóchitl partió y Li-Yun se desmoronó. La casa se le antojó inmensa. Él, que durante años había vivido en la soledad y el silencio, necesitaba ahora la presencia y la voz de su nieta. El pasado volvió a golpearlo como un látigo. La fiebre no le daba tregua, y se sumió en un delirio que lo llevó a sus años junto a Salomé.

Dos días después, Dimitri entró como una tromba, gritando como de costumbre:

–¡Li-Yun, Li-Yun!

Como nadie le respondió, el niño se dirigió al taller y, al no encontrar allí a su amigo, se fue derecho a su cuarto.

Dimitri se detuvo en seco en el umbral. Li-Yun yacía en su cama, lívido. Tenía los ojos semicerrados y murmuraba algo quedamente.

–Li-Yun, Li-Yun –susurró el niño dulcemente mientras se acercaba.

Li-Yun lo miró con ojos vidriosos. Dimitri iba a salir corriendo en busca de ayuda, pero Li-Yun hizo acopio de todas sus fuerzas y lo detuvo. Se aferró al brazo del niño y le pidió agua con voz casi inaudible. Dimitri llenó un vaso que se encontraba en la mesa de noche, levantó como pudo la cabeza de Li-Yun, y este bebió, con dificultad primero, pero con avidez después. El niño le acomodó los almohadones y le ayudó a recostarse.

–Voy a llamar a mamá –dijo Dimitri angustiado.

–No, Dimitri, no es nada grave… –dijo Li-Yun con dificultad.

–Pero… –se atrevió a decir el niño.

–Nada de peros. ¿Eres capaz de prepararme un té? –le preguntó con una voz un poco más segura.

–¡Sí, claro! –asintió Dimitri, feliz al sentir un poco de fuerza en la voz de su amigo–. ¿Quieres tostadas también? ¿O galletas? –le preguntó.

–Eres un ángel. Tráeme unas galletas –le dijo Li-Yun, más animado aún.

El niño partió como un rayo, y un momento después regresó con una bandeja en la que humeaba el té.

–Eres un chef, Dimitri –le dijo Li-Yun mientras se enderezaba–. ¿No vas a la escuela hoy?

–¡Estamos en vacaciones! –respondió el niño, burlón.

–¡Qué barbaridad! Ya no sé ni en qué época estoy.

–¿Te vas a poner bien? –le preguntó el niño con inquietud.

–¡Claro! ¿Sabes?, mala hierba nunca muere –aseguró Li-Yun mientras tomaba una galleta.

–Mamá no dice los refranes como tú, ella los intercambia –dijo el niño divertido.

–¿Cómo es eso? –le preguntó Li-Yun intrigado.

–Dice, por ejemplo: «Agua que no has de beber, cuchillo de palo», o «Cuando el río suena, chocolate espeso».

–Es medio payasa tu mamá, qué suerte tienes.

–Tengo que decirle a mamá que estás enfermo.

–Dimitri, yo no conozco a nadie que sepa guardar tan bien los secretos como tú. No quiero que nadie sepa que estoy enfermo. No quiero que nadie, aparte de ti y de… –Li-Yun se detuvo.

–De Xóchitl… –musitó el niño.

–Sí, pero ella está lejos ahora. No quiero que nadie, aparte de ti, me dé la mano.

–Pero ¿por qué?

–Yo mismo no lo sé –dijo Li-Yun con voz ronca.

«Cuánto misterio», se dijo Dimitri. Bueno, su amigo siempre había sido misterioso; por eso, a lo mejor, la gente había tejido historias sobre su pasado. Se acordó de lo que le había dicho una vez su madre:

–La gente no teje historias solo alrededor de Li-Yun. Yo sé que también dicen cosas sobre tu padre.

–¡Pero si no lo conocen! –había replicado él con viveza.

¿Cuántas veces había hablado con su madre de ese padre ausente? Muchas veces. Ella le había contado cómo se habían conocido, cuánto se habían querido, cómo él se había ido alejando de su vida a medida que el vientre de ella crecía… Hasta que un día se fue y la abandonó.

–Es un hombre bueno, Dimitri, pero tal vez no había crecido lo suficiente para admitir que iba a ser papá. Eso les ocurre a veces a los hombres, y también a las mujeres. Tienen miedo –le había explicado ella con una voz muy triste.

–Ahora, a lo mejor ya ha crecido –le había dicho él, y su mamá lo había abrazado muy, muy fuerte.

Hacía ya un momento que Li-Yun había observado que el niño estaba ausente, ensimismado en sus pensamientos.

–Estás en la luna –le dijo mientras mojaba una galleta en el té.

El niño sonrió.

–¿Tu mamá sabe que estás aquí? –le preguntó Li-Yun.

–Sí, me dijo que era una buena idea que te acompañara ahora que Xóchitl no está.

–¡Ah, Dimitri! Si yo fuera más joven, me enamoraría de tu mamá –dijo Li-Yun.

Dimitri rió de buena gana y le preguntó:

–¿Los viejos no se pueden enamorar?

Fue Li-Yun quien rió esta vez. Acomodó sus almohadones y, mirando a los ojos al niño, que se había sentado en la cama, le dijo:

–Para el amor no hay edad, Dimitri. Mira, con todo lo viejo que soy, aún estoy enamorado…

–De la bailarina… –dijo el niño poniéndose rojo como un tomate.

–¡Ah, gran pillo! Sí, de la bailarina –repitió Li-Yun con emoción.

Y Li-Yun empezó a contarle su historia, así como lo había hecho con Xóchitl. Le habló de su amor por Salomé, de su vida de trotamundos, del circo, de la nostalgia que lo había hecho regresar, del abandono de su hijo…

El niño lo escuchó inmóvil, casi sin parpadear. Cuando Li-Yun terminó, le dijo a Dimitri:

–A lo mejor ya no me vas a querer como antes, pero prefiero eso a que me sigas viendo como lo que no soy.

–Papá también se fue –dijo el niño en voz baja.

Li-Yun se sintió muy mal. No era una casualidad que siempre hubiera considerado a Dimitri como su nieto. Dimitri era un niño sin padre, como su propio hijo.

–Tengo que irme. Volveré más tarde –se despidió Dimitri.

Li-Yun casi le agradeció que partiera, pues la desolación de su alma era tal que únicamente quería estar solo para rumiar su tristeza. Después de tantos años, había contado por primera vez el secreto de su vida a dos niños: porque Xóchitl, a pesar de sus dieciséis años, tenía aún la mirada infantil.

Dimitri no se fue para su casa, sino que se dirigió al mirador. Siempre le había gustado contemplar el mar desde allí. Acudía al mirador cuando estaba triste, para tragarse las lágrimas viendo el ir y venir de las olas, y cuando estaba alegre, para que su corazón volase con las gaviotas. Se acodó en la baranda. La historia de Li-Yun le había puesto muy triste. Eso de ser papá parecía una cosa muy difícil, porque hasta Li-Yun, siendo tan bueno y tan sabio, no había podido serlo.

Pero entonces, ¿cómo podía ser que el señor Bellini, el panadero, que no era sabio como Li-Yun y que además era tan gruñón, se sintiera tan feliz cuando estaba con sus hijos? Al menos, eso era lo que a él le parecía. Muchas veces había presenciado la llegada de sus hijos de la escuela, y el señor Bellini dejaba de atender a la clientela para besarlos. ¿Por qué a unos hombres les gustaba ser papás y a otros no? –se preguntaba Dimitri mientras veía a lo lejos un barco de vela que el viento bamboleaba. Abajo, en la playa, un niño elevaba una cometa.

–Una cometa de Li-Yun –dijo el niño en voz alta; y, furioso, dio media vuelta y se fue a casa.

Encontró a su mamá afanada en la cocina. Apenas lo vio, exclamó:

–¿Y esa cara tan triste? ¿Te peleaste con Li-Yun?

–Mamá, ¿a ti te parece difícil ser mamá? –preguntó resuelto.

–¿Por qué me preguntas eso? –dijo ella acercándose al niño.

–Contéstame, mamá.

–A decir verdad, es la tarea más dura y más maravillosa que me ha tocado en la vida. Ha sido difícil estar sola, pero ha sido tan fácil quererte… Me da la impresión de que siempre has estado en mi existencia. Pienso que mi vida era bastante simplona antes de que tú llegaras –le respondió ella con voz pausada.

Dimitri la abrazó muy fuerte y le dijo:

–Mamá, ¿tú crees que papá aprenderá un día a ser papá?

–No lo sé, Dimitri, no lo sé –le respondió su madre sin deshacer el abrazo, y añadió–: ¿Qué te parece si comemos?

–¿Puedo volver donde Li-Yun después de comer?

–Vas a terminar siendo cometero como él –le dijo su madre riendo.

No sabía por qué había dicho eso; en realidad, no quería ir. Además, si Li-Yun seguía enfermo, no iba a trabajar, y entonces se aburriría. Pero recordó que, en ausencia de Xóchitl, él era el único que podía ayudarlo. Después de comer se fue. En el camino se encontró con su amigo Santiago, que lo invitó a dar una vuelta en bici, pero Dimitri le dijo que no podía.

Poco antes de llegar a casa de Li-Yun, sintió que los pies le pesaban. Estaba enojado con Li-Yun. Llegó a la casa y se quedó un momento junto a la puerta, sin atreverse a entrar. Finalmente, la abrió. Todo le pareció terriblemente silencioso. No es que la casa de Li-Yun se distinguiera por el ruido, pero Dimitri conocía «la música» de esa casa: el roce de los papeles que Li-Yun manipulaba, el ruido del agua hirviendo para el té… Pero, sobre todo, Bach. Juan Sebastián, lo llamaba Li-Yun.

–Oye, Dimitri: esa es la música de Juan Sebastián. En música no hay nada más bello en esta tierra –le había dicho la primera vez.

–¿Juan Sebastián? –le había preguntado él.

–Bach –le había contestado Li-Yun señalándole en la cubierta de un disco a un señor con una peluca de largos bucles.

Pero ahora no se oía nada.

–Li-Yun… –llamó el niño.

No hubo respuesta.

Dimitri se dirigió al cuarto de su amigo y lo encontró dormido. Se acercó, tocó su frente y retiró la mano enseguida: Li-Yun ardía.

–Li-Yun… –llamó el niño con el corazón latiéndole a mil.

Li-Yun abrió con dificultad los ojos y le pidió agua. Dimitri le acercó el vaso.

–Debo llamar a mamá.

–No, Dimitri, solo estoy muy resfriado. Prepárame un té, por favor.

Dimitri se fue a la cocina, mientras se preguntaba qué diablos le encontraba Li-Yun al té. A él le parecía una bebida bastante desabrida.

Cuando se lo trajo, el niño lo observó detenidamente. Le pareció que Li-Yun había envejecido mucho en solo unas horas. Sus ojos estaban tristes y parecían en otro mundo. La verdad era que Li-Yun no era el mismo después de la llegada de

Xóchitl. No miraba hacia fuera, sino hacia dentro. Él, Dimitri, lo sabía; ambos habían hablado de ello. Era verdad que cuando él estaba triste miraba hacia dentro, y veía o creía ver lo que lo hacía infeliz. Se veía, por ejemplo, dándole una paliza a Vincent, el gigantón de la escuela que se pasaba la vida burlándose de todo el mundo. A veces también se veía ajustándole cuentas a su papá. Y cada vez se decía que eso era imposible. Él era pequeño, y seguramente su padre no le prestaría atención. Tendría que esperar a crecer, pero eso le llevaría mucho tiempo.

–¿Me ayudas a levantarme, Dimitri? –la voz de su amigo lo sacó de sus pensamientos.

Le tendió el brazo y Li-Yun se puso de pie con mucha dificultad. Fueron a la cocina. Con ayuda del niño, Li-Yun preparó una sopa. A pesar de que acababa de almorzar, Dimitri se tomó un plato; era imposible resistirse a las sopas de Li-Yun. Un rato después, el niño lo acompañó al taller. Li-Yun tomó un papel rojo y se puso a hacer trazos en él, pero al cabo de un momento dijo que no se sentía con ánimos para trabajar. Dimitri, que miraba a través de la ventana la explanada, le preguntó:

–¿Quieres que me quede?

–No, Dimitri, voy a dormir, regresa a tu casa. Si puedes, me traes unos *croissants* mañana –le dijo Li-Yun dándole unas monedas.

–¿Vas a buscar un día al papá de Xóchitl? –le preguntó el niño, y agregó–: A tu hijo…

La pregunta dejó a Li-Yun con la boca abierta.

–Te estás pareciendo a Xóchitl, Dimitri. Ella te lanza, cuando menos lo esperas, unas preguntas como flechas –dijo Li-Yun eludiendo el tema.

–Hasta mañana –se despidió el niño. Y se marchó corriendo.

Seguía disgustado con Li-Yun. No quería, pero era más fuerte que él. Llegó a casa cabizbajo. Su mamá, que estaba viendo la televisión, le preguntó:

–¿Y esa cara?

Entonces, la tempestad se desató. Como Dimitri se puso a llorar inconteniblemente, ella apagó el televisor y corrió a tomarlo en sus brazos.

–¿Qué te ocurre, Dimitri? Llora, príncipe, llora si eso te alivia.

Se sentaron en el sofá. El niño se fue calmando poco a poco. La mamá no le preguntó nada. Conocía bien a su hijo y sabía que acosarlo a preguntas era la mejor manera de hacerle callar.

–Mamá, ¿por qué Li-Yun es también como los demás?

–¿Cómo, Dimitri?

–¿Sabes? Él también ha hecho cosas que no están bien…

–Todos, Dimitri, todos hemos hecho cosas que no están bien.

–Sí, pero son cosas muy malas –replicó el niño.

–¿Te contó algo de su vida? –le preguntó su madre cautelosamente.

–Sí…

–¿Xóchitl es su nieta?

–¿Cómo lo sabes? ¿Te lo dijo ella? –le preguntó el niño sorprendido.

–Nadie me lo dijo, Dimitri; lo adiviné, como tal vez muchos en el pueblo…

–¡Ah! ¿Porque Xóchitl se le parece? –le preguntó el niño ingenuamente.

–Xóchitl se parece sobre todo a la bailarina; al menos es lo que oí decir a mi patrón en la librería. Él la conoció, y me dijo que era muy bella.

–¡Mamá! Li-Yun nunca ha visto a su hijo. ¡Nunca!

Y la madre supo enseguida la causa del llanto de su niño.

–Lo sé, Dimitri. Si tú no sufrieses por la ausencia de tu padre, la historia de Li-Yun no te afectaría tanto. Es muy difícil saber lo que pasa en la cabeza de la gente. El miedo, Dimitri, es algo tan fuerte que puede hacer olvidar hasta el amor más grande. La gente dice que cuando Li-Yun conoció a la bailarina se volvió loco por ella, tan loco que lo dejó todo por seguirla. Sin embargo, la abandonó luego. A lo mejor no sabía que ella esperaba un hijo.

–Sí, sí lo sabía… –dijo el niño en voz baja.

–¡Ah, qué triste! –suspiró la madre mientras acariciaba los cabellos de su hijo–. Comprendo que te haya desilusionado, pero ese pasado solo concierne a Li-Yun y a los suyos. Que yo sepa, Xóchitl no vino a pelearse con su abuelo…

–No, solamente quería conocerlo. Me dijo que su abuela siempre le había hablado de él.

–¿Ves?

–Mamá, ¿tú cres que papá piensa en mí de vez en cuando? –dijo el niño.

–No piensa de vez en cuando, hijo. Yo creo que piensa todos los días de su vida y se atormenta y no comprende que lo más fácil sería afrontar el mundo contigo, sin miedo.

–¡Pero si soy un niño! ¿Cómo puedo asustarlo?

–No lo sé, Dimitri –respondió ella desarmada.

–¿No podemos hacer algo para que se le quite el miedo?

La madre lo abrazó y Dimitri no hizo más preguntas. Prefería no tener una respuesta; al menos, no por el momento.

–Enciende la televisión otra vez, mamá –dijo el niño acomodándose mejor en el sofá.

Ella sonrió, le acarició la cabeza y ambos se pusieron a ver una serie policíaca que les encantaba.

6

El mar estaba quieto. Faltaba poco para que el día comenzase a declinar. Cuando podía, la madre de Dimitri iba al mirador a ver la puesta de sol. Le encantaba ese cielo violento, de rojos y anaranjados, tan hermoso que a veces le arrancaba lágrimas.

«A Carlo también le gustaba», pensó.

–Un día tendré que dejar de pensar en él –se dijo, esta vez en voz alta.

Allá, a lo lejos, divisó a Dimitri. Jugaba en la playa con Santiago. La playa era solo un griterío infantil que llegaba hasta el mirador.

–Mi principito –murmuró Elisa recordando el momento en que le había puesto ese sobrenombre.

Cuando Dimitri tenía cerca de dos años, ya lucía esa maraña de pelo alborotado. Una tarde, limpiando una biblioteca, Elisa vio el libro *El Principito*, sonrió al ver las ilustraciones y se lo mostró a Dimitri mientras le decía:

–Mira, mi tesoro, eres tú.

Elisa volvió a casa; ya pronto Dimitri estaría de regreso. Pensó en la bailarina que, como ella, se había quedado sola con su hijo. Recordó cómo se había hecho amiga de Li-Yun. Ella había ido a la panadería para encargar la torta para el primer cumpleaños de Dimitri. El bebé dormía en el canguro. Allí estaba Li-Yun.

–Parece una *madonna* –había dicho el señor Bellini, el panadero, quien, a pesar de haber nacido en el pueblo, adoraba emplear palabras italianas.

Li-Yun había mascullado algo y había retrocedido, como si ella y el bebé le asustasen. En esas, entraron dos enormes perros ladrando, y su dueña tras ellos dando gritos. Todo ese barullo despertó a Dimitri y aterrorizó a Elisa, que creyó que los animales iban a morderla. El bebé gritaba cada vez más. La mujer terminó por salir con sus perros, y Li-Yun, que vio a Elisa pálida como un papel, le acercó una silla. Ella sacó al niño del canguro, pero no logró calmarlo. Entonces, Li-Yun lo tomó en sus brazos y, mientras lo mecía, se puso a cantarle una nana en chino, tan dulcemente que el niño volvió a dormirse.

Elisa nunca había olvidado que cuando Li-Yun le devolvió al niño tenía los ojos llenos de lágrimas. Ahora comprendía por qué. Desde ese día se hicieron amigos, y Dimitri creció a la sombra de Li-Yun. Elisa encontró en ese hombre sereno un apoyo inmenso, y en sus momentos de duda era a él a quien pedía consejo.

Al día siguiente, como era su día libre, decidió ir a desayunar con Li-Yun.

–Tengo que llevarle *croissants* a Li-Yun –le dijo Dimitri.

–No te preocupes, se los llevaré yo.

Encontró a Li-Yun preparando el té.

–¿Quieres? –le preguntó él besándola con ternura.

–Sí, gracias. No tienes buena cara –le dijo Elisa.

–El mundo se me vino encima, Elisa –le confesó Li-Yun con la respiración entrecortada.

–Tú eres como un roble –replicó Elisa.

–Los árboles también se caen. Ya estoy viejo y cansado –murmuró Li-Yun.

–Uno solo es viejo si el alma envejece. Es lo que has dicho siempre. ¿Acaso se te envejeció el alma?

Li-Yun respondió con otra pregunta:

–¿Te dijo algo Dimitri?

–Tú sabes que Dimitri habla poco.

–No lo miraste a los ojos entonces.

Elisa guardó silencio.

–Lo sabes, ¿verdad, Elisa? Al menos lo adivinaste.

–Sí…

–Nadie escapa a su pasado –le dijo Li-Yun, a la vez que se esforzaba por tomar aliento.

–¿Qué piensas hacer? –le preguntó Elisa, a quien la respiración entrecortada de Li-Yun le preocupaba mucho.

–No sé. Quizás lo sabré cuando vuelva a ver a Xóchitl.

–¿No crees que deberías ver al médico? Tienes muy mal aspecto.

–No, el mal no está en el cuerpo, sino en el alma.

Elisa se quedó toda la mañana con él. Lo hizo recostarse, y ella misma preparó un apetitoso almuerzo. Comieron juntos y Elisa le obligó a no dejar nada en el plato.

Cuando Li-Yun se acostó a echar la siesta, ella volvió a casa.

Al día siguiente, antes de ir al trabajo, Elisa fue a ver a Li-Yun. La casa estaba silenciosa. Se dirigió directamente al cuarto de su amigo, y cuál no sería su susto al encontrarlo semiinconsciente, respirando con gran dificultad. Elisa corrió al teléfono para llamar a urgencias. Un momento después, llegó el médico. Tras examinarlo, le recetó un montón de medicinas y le ordenó reposo absoluto.

Elisa voló a comprar las medicinas y regresó a ocuparse de Li-Yun.

–Eres terco como una mula, Li-Yun. ¿Quieres morirte? –le espetó furiosa–. Si quieres irte de este mundo, al menos vete cuando te hayas enfrentado a lo que te atormenta –luego, como si se diera cuenta de que no era el momento de decir cosas tan duras, abrazó a Li-Yun mientras le decía–: Si supieras cómo te queremos Dimitri y yo, te cuidarías más.

Li-Yun sonrió débilmente.

Por la tarde, cuando Dimitri salió de la escuela, fue directamente a casa de Li-Yun y se sorprendió al encontrar a su madre aún allí.

–¿Sigue mal? –le preguntó.

–Sí… ¿Sabías que estaba enfermo? –le preguntó la madre mirándolo a los ojos.

–Sí, pero me prohibió decírtelo.

Se quedaron en casa de Li-Yun los días siguientes. Li-Yun no parecía mejorar.

En ese tiempo, llegó una tarjeta postal de Xóchitl, pero sin ningún remite. Elisa no sabía qué hacer. Estaba segura de que la presencia de la chica ayudaría mucho a Li-Yun.

Dimitri se sentía muy triste. Una noche, el niño se acercó a Li-Yun, que estaba adormilado, y le dijo:

–Ya no estoy enfadado contigo. Mamá me explicó que a veces a los hombres les cuesta mucho trabajo ser papás. Yo te quiero, y no quiero que te mueras. Además, no puedes irte sin ver a tu hijo.

Esa misma noche, Elisa llamó otra vez al médico. Este, tras examinarlo, decidió hospitalizarlo. Su resfriado se había convertido en una grave neumonía. A la vista de la ambulancia, Dimitri se puso lívido.

–Ten confianza, Dimitri, sé que volverá –le dijo Elisa abrazándolo.

Una semana después, los médicos dijeron a Elisa que la situación era grave. Elisa rogó al cielo que Xóchitl regresara.

Una tarde, al recoger el correo de Li-Yun, Elisa vio que había una carta de México. Su corazón se puso a mil. ¿Qué hacer? ¿Abrir la carta? Dimitri, que estaba a su lado, la miró con esa mirada tan especial que lo hacía semejar a un rey sabio y dijo:

–Yo se la leeré, seguro que está en francés.

Y con una seguridad que dejó a Elisa muda de asombro, tomó la carta y los dos se fueron enseguida al hospital. Una vez allí, Elisa explicó la situación en recepción para que dejaran entrar a Dimitri. No hubo ningún problema y, sin perder un instante, se dirigieron al cuarto de Li-Yun. Dimitri acercó una silla al lecho; Elisa se quedó de pie, el niño abrió la carta y empezó a leer a un Li-Yun que parecía inconsciente. Salomé le decía que ella era como un fantasma que venía de un pasado lejano en el tiempo, pero no en el corazón. Que la alegraba inmensamente que hubiera podido conocer a su nieta, y que esperaba que un día conociera al hijo de ambos…

Dimitri leyó la carta con voz queda pero firme, subrayando cada palabra. Cuando terminó, Li-Yun buscó a tientas la carta y la tomó en sus manos temblorosas.

A partir de ese momento, Li-Yun empezó a mejorar lenta pero ininterrumpidamente y, aunque su respiración aún era difícil, Elisa y Dimitri tuvieron la certeza de que sanaría.

Xóchitl llegó unos días después, de madrugada, y se asombró al ver que su abuelo no le abría. Se fue a casa de Dimitri, y la asombró todavía más ver la emoción que su regreso despertó en Elisa.

–¡Dios santo, Xóchitl, casi no vuelves!

–Elisa, ¿dónde está mi abuelo?

Elisa la puso al corriente de todo, le contó cómo la carta de Salomé le había salvado la vida a Li-Yun. Xóchitl la escuchó con los ojos brillantes.

–¿A qué hora puedo ir a verlo? –le preguntó anhelante.

–Después del almuerzo. Antes no.

Al día siguiente, Dimitri casi pega un grito al ver a Xóchitl durmiendo en el sofá de la sala. Se contuvo, pero no pudo evitar ir a abrazarla delicadamente. Ella se despertó y se abrazó con fuerza al niño. Como era domingo, por la tarde fueron los tres al hospital. Dejaron que Xóchitl entrara primero, sola, a la habitación de Li-Yun. Se acercó a la cama de puntillas y dijo dulcemente:

–Abue…

Li-Yun, que dormitaba, abrió los ojos y con voz temblorosa susurró:

–Paloma… mi paloma mensajera.

–Abue… perdóname, tal vez soy yo la culpable de que te hayas enfermado, pero no te busqué para hacerte daño, sino para quererte –le dijo atropelladamente mientras lo abrazaba.

–No, Xóchitl, no. Tú viniste a despertarme a la vida, aun cuando ese despertar en algún momento se haya parecido a la muerte.

Xóchitl vio sobre la mesa el sobre con la letra inconfundible de su abuela.

–Elisa me dijo que abue te escribió –le dijo emocionada.

–Sí, y a pesar de que Dimitri me ha leído varias veces la carta, apenas puedo creerlo.

–Vas a ponerte bien, no me iré hasta que no estés de pie. No me iré hasta que no me lleves a la explanada a volar una cometa –le dijo Xóchitl muy seria.

Xóchitl llamó a su abuela y le contó todo lo que había pasado mientras ella estaba en Roma.

–Tu carta le salvó la vida, abue. No creo que tenga ya ganas de morirse.

La chica oyó entonces el suspiro de alivio de Salomé.

–¿Todavía lo quieres, abue?

–Xóchitl, no te metas en lo que no te importa –la recriminó Salomé con firmeza.

–¡Claro que me importa! –le contestó su nieta con más firmeza aún.

Su abuela no quiso agregar nada más. ¿Para qué decir lo que los suyos siempre habían sospechado? Li-Yun había sido el amor de su vida y, a pesar del paso de los años, ese amor seguía allí, casi intacto.

7

Los días pasaron y Li-Yun recobró poco a poco las fuerzas. Xóchitl pudo salir a pasear un poco en compañía de Dimitri.

–¿Cómo es tu papá, Xóchitl? –le preguntó el niño un día en que tomaban el sol en la playa.

–No está mal. A veces se pone cascarrabias, pero tiene un gran corazón. Dice que soy terca como una mula y que siempre hago lo que quiero. Debo confesarte que tiene razón –reconoció Xóchitl con mucha frescura–. Discutimos sobre todo por mi pasión por los viajes. Él, en cambio, rara vez se mueve de Ciudad de México. En eso no se parece a sus padres.

–Li-Yun nunca se volvió a ir después de que dejó a tu abuela –le dijo el niño con tristeza.

Xóchitl permaneció en silencio.

–Nunca he visto a mi papá –dijo el niño de pronto, y se puso rojo como si se arrepintiese de haber dicho algo semejante; sin embargo, prosiguió–: Me conoció bebé y después nunca más volvió a verme.

–¿Y si hiciésemos algo para que pudieras verlo? –le propuso Xóchitl de repente.

Dimitri la miró como si se hubiera vuelto loca.

–Sí, Dimitri, no me mires así. Abue Salomé dice que la peor diligencia es la que no se hace. ¿Sabes cómo se llama? –pregunto Xóchitl como si tuviera prisa por empezar la búsqueda.

–Sí… Carlo… Pisani… –repuso el niño con timidez.

–No debe de haber una tonelada de Carlo Pisani en Marsella –comentó Xóchitl.

–¿Por qué en Marsella? –le preguntó Dimitri con asombro.

–¿No me dijiste que allí vivías con tu madre antes de venir aquí?

–Sí… –logró articular Dimitri.

–Bueno, pues manos a la obra y ni una palabra a tu mamá, Dimi –le advirtió Xóchitl muy seria.

–¿Qué piensas hacer? –le preguntó el niño, nervioso.

–Mañana vamos a la oficina de correos a consultar la guía telefónica de Marsella –dijo Xóchitl.

El corazón de Dimitri latía apresuradamente. Su mirada se perdió en el mar azul y deseó con toda su alma encontrar a su papá. Con la ayuda de Xóchitl, era casi seguro que lo lograría. ¿No había encontrado ella a su abuelo? Sin embargo, le daba no sé qué no decirle nada a su madre; aunque, si le decía algo, ella le impediría la búsqueda. Su mamá podía esperar mucho, era muy paciente. Él no, no quería seguir creciendo sin su papá. Xóchitl le había dicho un día, hablándole de las ganas que le habían entrado años antes de conocer a su abuelo: «Al destino hay que forzarlo a veces, Dimi».

Al día siguiente por la mañana, Dimitri se dirigió a la oficina de correos. Xóchitl ya estaba allí con la nariz metida en la guía.

–Eh, Dimitri, ¿sabes cuántos Carlo Pisani hay? Solo tres.

Dimitri no dijo nada. Sentía que el corazón se le había atravesado en la garganta.

–Uno es abogado; la profesión de los otros dos no aparece –le dijo Xóchitl pensativa.

–¿Y cómo vamos a hacer para saber cuál es? –preguntó el niño afligido.

–Con una foto. Supongo que tienes fotos de tu papá –inquirió ella, metida en su papel de detective.

–Tengo una foto que mamá me dio hace años, pero a lo mejor ha cambiado mucho –respondió Dimitri.

–No importa, la llevaremos con nosotros –dijo Xóchitl.

–¿Adónde? ¿A Marsella? –preguntó Dimitri estupefacto–. Pero ¿cómo vamos a hacer para ir?

–Yendo simplemente, pedazo de tonto –contestó la chica en el colmo de la tranquilidad–. Le diré a tu mamá que necesito comprar regalitos para mi familia, lo cual es verdad, y que quiero que me acompañes. ¿El miércoles te parece bien?

–De acuerdo –dijo el niño mientras pensaba que Xóchitl no se andaba con rodeos. Qué largos se le iban a hacer los días que faltaban para que llegara el miércoles.

Cuando regresaron, ambos vieron flotar en la terraza de la casa de Li-Yun tres cometas multicolores.

–¡Abue trabaja de nuevo! –exclamó feliz Xóchitl.

–El rostro de Dimitri se iluminó: él también se sentía feliz. Habría sido demasiado no tener a su papá y perder también a Li-Yun.

No fue difícil para Xóchitl convencer a Elisa para que dejara a Dimitri ir a Marsella.

–Ten cuidado, por favor, Xóchitl –le había pedido Elisa, aprensiva.

–¡Eh! Recuerda que he recorrido sola medio mundo –le había replicado Xóchitl riendo.

Se fueron un miércoles por la mañana temprano. El cielo estaba límpido y el mar se veía quieto como un espejo; muy diferente del corazón de Dimitri, que parecía un caballo enloquecido.

–Tranquilo, Dimi –le tranquilizó Xóchitl como si hubiese oído el latir de su corazón–. Tienes que pensar que es probable que tu papá no sea ninguno de esos. A propósito, ¿cuál es su profesión? ¡Qué estúpida! Ni se me había ocurrido preguntarte.

–Es economista –respondió Dimitri con una pizca de orgullo, pues a él le parecía que debía de ser una profesión muy importante.

–¡Puaf! –exclamó Xóchitl.

–¿Puaf? ¿Por qué puaf? –le preguntó Dimitri enojado.

–Calma, calma; es solamente que a mí no me gusta nada que tenga que ver con cuentas –dijo Xóchitl riendo.

Tomaron el autobús cuya ruta bordeaba el mar. Casi no hablaron: era difícil hacerlo teniendo frente a los ojos tanto azul, y las gaviotas que hacían acrobacias, y ese aroma salino que refrescaba el alma. Los dos miraban el paisaje como si lo vieran por primera vez. Ambos se sentían pequeños ante tanta inmensidad.

–Aquí está su foto –dijo el niño a la vez que le tendía una fotografía en color.

–Eres igualito a él –observó la chica mientras contemplaba la foto con detenimiento.

Se quedaron un rato en silencio.

–Dimitri, ¿por qué te llamas Dimitri? –la pregunta insólita de Xóchitl le pilló desprevenido.

–Mi abuela nació en Rusia –respondió el niño.

–¿Eran rusos tus bisabuelos? –preguntó Xóchitl sorprendida.

–No, españoles; pero se habían ido a vivir a Moscú.

–Vaya, qué enredo. Bisabuelos españoles, abuela medio rusa, mamá francesa y papá medio italiano. Todo eso mezclado da un Dimitri –bromeó Xóchitl agitando las manos como si preparara un cóctel.

–Tú no te quedas atrás. Tienes un abuelo chino-francés… –le replicó Dimitri burlón–. Li-Yun dice que la gente aquí se vuelve más linda porque cada vez se mezcla más. En mi escuela hay de todo: árabes, chinos, españoles, africanos, chilenos, vietnamitas... ¿No es así en México?

–No, nuestra mezcla es sobre todo de indios y blancos. Pero hay mucha gente que se avergüenza aún de sus antepasados indígenas –le explicó Xóchitl gravemente.

–Pero ¿por qué? –le preguntó el niño, bastante sorprendido.

–Porque siguen creyendo que la raza blanca es superior. Abue Salomé dice que los que piensan así son unos ignorantes llenos de complejos.

Una hora después divisaron la ciudad, que parecía temblar a lo lejos, temblar bajo el sol como si se derritiera.

Al llegar, descendieron precipitadamente del autobús.

–¡Rápido! ¡Un refresco! –exclamó Xóchitl mientras arrastraba a Dimitri a una heladería.

Después de saciar la sed, Xóchitl dijo:

–Adonde el abogado no vale la pena ir, porque tu padre no lo es. Empezaremos por ese Carlo que vive a dos pasos de la Canebière.

–¿Empezaremos? ¿Cómo? ¿Tocamos a su puerta? –le preguntó inquieto Dimitri.

–Pues sí, tocamos a su puerta y abrimos bien grandes nuestros ojos a ver si el Carlo ese se parece a tu papá –replicó Xóchitl.

–Y si es él, ¿qué hacemos? –volvió a preguntar el niño.

–Sea él o no, decimos que estamos buscando al abogado Carlo Pisani. Eso nos hará ganar tiempo para dar el paso siguiente.

–¡Ah! –exclamó Dimitri, igual de confuso.

Xóchitl pagó los refrescos y salieron. Afuera, un grupo de hombres jugaba a la petanca. Otros observaban a la sombra de los árboles. Un hombre bastante mayor se tomaba una cerveza mientras se abanicaba con un sombrero.

–Estos no pierden el tiempo –comentó Xóchitl con una sonrisa.

Dimitri volvió a sentir en la garganta esa opresión que lo ahogaba. Xóchitl, como si comprendiera, le pasó el brazo por los hombros.

Cuando llegaron a la dirección que Xóchitl llevaba anotada, Dimitri estuvo a punto de salir corriendo. Tomaron el ascensor hasta el cuarto piso. Xóchitl inspeccionó una a una las puertas de los apartamentos.

–Aquí es –indicó señalando el nombre escrito en un papel y pegado en la puerta con cinta adhesiva.

Sin dar más largas al asunto, la chica pulsó el timbre. Poco después, un hombre alto, desaliñado y de grandes bigotes, abrió la puerta.

–Hola –dijo Xóchitl–. Estamos buscando al abogado Carlo Pisani.

–Soy Carlo Pisani, pero de abogado no tengo un pelo –dijo divertido.

A Xóchitl y a Dimitri ya les parecía que no tenía cara de abogado.

–¿Qué hace un par de chicos buscando un abogado?

–Es asunto nuestro –atajó Dimitri con cara de pocos amigos.

–Perdón, perdón, jovencito. Bueno, si un día necesitan a un experto en informática, estoy para servirles –dijo el hombre haciendo una venia a la vez que cerraba la puerta.

Dimitri se sintió muy tonto y lamentó haber sido tan maleducado. No era su costumbre. La verdad era que últimamente hacía muchas cosas impropias de él, como esa locura de ir a buscar a su papá.

–Vamos, vamos –le apuró Xóchitl, que no quería perder ni un minuto, pues además de hacer las veces de detective también tenía que comprar los regalos para su familia.

La otra dirección quedaba en la parte alta de la ciudad. Allá se dirigieron. Se encontraron, un poco más tarde, frente a un edificio blanco situado en una calle estrecha y empedrada.

–No estaría mal que fuera aquí –comentó Xóchitl mirando el edifico de arriba abajo.

Dimitri apenas esbozó una sonrisa. A él le daba igual; solo quería encontrar a su padre.

A la entrada se tropezaron con la portera.

–¿Adónde van?

–Estamos buscando a un abogado que se llama Carlo Pisani –explicó Xóchitl con firmeza.

–¿Abogado? Aquí hay un Carlo Pisani, pero abogado seguro que no es –dijo la mujer mientras se componía el peinado mirándose en el vidrio de la puerta.

–¿Qué es entonces? –preguntó Xóchitl.

–No sé –dijo la mujer–. Soy nueva aquí y aún no conozco muy bien a todos los inquilinos.

–Pero ¿por qué dice entonces que no es abogado? –insistió Xóchitl.

–Pues porque los abogados tienen otra cara –respondió la mujer encogiéndose de hombros.

Xóchitl no sabía si reír o ponerse furiosa. Definitivamente, todo el mundo, incluidos Dimitri y ella, creía que los abogados tenían una facha determinada; pero ¿cuál?

–¿Podemos subir para averiguar si es el que buscamos? –le preguntó Xóchitl.

–No, no. El señor Pisani no está –contestó la portera, muy posesionada de su papel de guardiana del edificio.

–¿A qué hora vuelve? –preguntó Dimitri.

–¿A qué hora? Querrás decir qué día, pues se fue de viaje –le dijo la mujer.

Dimitri palideció. Las cosas no iban a ser fáciles, y Xóchitl iba a irse pronto para México y él no tendría quien lo acompañase de nuevo. Todo esto pasó por su cabeza y miró a Xóchitl con cara de desolación.

–No te preocupes, Dimitri –le tranquilizó la chica.

–¿Por qué? ¿Es muy urgente? –preguntó la mujer endulzando la voz.

–Lo sería si él en realidad fuera abogado –dijo Xóchitl con mucha seriedad.

Dimitri abrió unos ojazos... ¿Qué estaba tramando Xóchitl?

–Déjame ver –dijo la portera abriendo la puerta de su apartamento.

Salió un momento después con un paquete de cartas y dos revistas.

–Este es el correo que le ha llegado. A ver si hay algo que muestre que es abogado –dijo mientras examinaba los sobres.

Xóchitl, que era más alta que ella, miraba por encima del hombro. Había sobres de oficinas administrativas y de los servicios, y las dos revistas eran de economía.

–No creo que se trate de un abogado; parece más bien un economista –dijo Xóchitl.

Dimitri volvió a palidecer.

–En todo caso, este señor debe de tener negocios por todas partes, porque en el poco tiempo que llevo aquí, lo he visto partir varias veces. A lo mejor por eso vive solo –explicó la portera, que de pronto se había soltado a hablar–. Parece muy serio, pero sin embargo hace algo que me parece muy raro en un adulto.

Xóchitl y Dimitri se miraron sin saber qué decir.

–Vuela cometas –aclaró la mujer riendo.

Dimitri abrió la boca, pero fue incapaz de decir una palabra.

Xóchitl respondió entonces a la mujer:

–¡Qué casualidad! A nosotros también nos encantan las cometas; a lo mejor podríamos invitarlo a un concurso que organizamos en nuestro pueblo.

–¿De veras? Si quieres se lo digo a su regreso. Tendrías que dejarme tu dirección –dijo la mujer, mientras se miraba de nuevo en el cristal de la puerta.

–No es necesario. Pasaré la semana próxima a ver si está de vuelta y se lo diré yo misma.

–Como quieras. Bueno, os dejo porque tengo trabajo –se despidió la portera, disponiéndose a entrar en su apartamento.

Dimitri era incapaz de articular palabra.

Al salir a la calle, Xóchitl le dijo:

–Te quedaste sin lengua, Dimi…

Por toda respuesta, las lágrimas brillaron en los ojos del niño.

–No, Dimi, no vayas a llorar –le suplicó Xóchitl mientras lo atraía hacia ella.

–¿Y si no quiere saber nada de mí? –musitó con voz temblorosa.

–Ten confianza, Dimi. Yo creo que si uno quiere algo de verdad, lo consigue tarde o temprano.

–Pero ¿qué es eso del concurso? –le preguntó el niño.

–¿El concurso? Vamos a organizar uno. Abue estará encantado. Además, me pregunto cómo es posible que a estas alturas, con las cometas tan bellas que fabrica mi abuelo y esa explanada tan grande, a nadie se le haya ocurrido organizar un concurso –dijo Xóchitl con una firmeza que causó la admiración de Dimitri–. Ahora vamos a almorzar, y después nos dedicaremos a comprar los regalos –añadió feliz Xóchitl.

8

Li-Yun se recuperó a una velocidad asombrosa. Las cometas que salían de sus manos prodigiosas era aún más bellas.

La gente empezó a hablar en voz alta de Xóchitl y del parentesco que la unía a Li-Yun. Este ya no escondía nada, ya no tenía sentido hacerlo. Su rostro había adquirido la verdadera serenidad y, a pesar de haber estado a las puertas de la muerte, parecía rejuvenecido. Tenía, en verdad, tantas ganas de vivir que, cuando Xóchitl le habló del dichoso concurso, batió palmas como un niño.

En pocos días lo organizaron todo. Había que hacerlo rápido, para aprovechar que el viento aún era fuerte. Dimitri pegó carteles por todas partes, invitando a todo el mundo a participar.

A Li-Yun le llovieron pedidos. El fin de semana, Elisa, Xóchitl y Dimitri le ayudaron hasta bien entrada la noche.

Un día, con el pretexto de que aún tenía compras que hacer, Xóchitl volvió a Marsella. Cuando llegó al barrio alto, sintió que el corazón iba a salírsele del pecho.

La portera la reconoció enseguida.

–El señor Pisani ya volvió de viaje, pero salió esta mañana temprano y aún no ha regresado.

–No importa. ¿Quiere entregarle la invitación para el concurso, por favor?

–¡Claro! No faltaba más.

Xóchitl se fue casi corriendo, compró un helado en el camino y lo saboreó feliz, mientras contemplaba el mar a lo lejos y aspiraba ese aroma salado que le recordaba las vacaciones pasadas en el mar de su país. Que Carlo no estuviese le había evitado decir una sarta de mentiras. Ahora había que cruzar los dedos para que se inscribiera en el concurso. Sonrió al recordar el premio que iban a dar (un concurso sin premio no era concurso): se trataba de un viaje para participar en el festival de cometas de Villa de Leyva, hermosa ciudad colonial en el corazón de Colombia. Esto había sido idea de Li-Yun. Fue allí donde comenzaron su desazón y su nostalgia cuando iba por el mundo con Salomé. Fue a la vista del cielo encometado de

Villa de Leyva cuando su mundo se derrumbó. Ahora quería reconciliarse con esa ciudad.

El trofeo sería una cometa en miniatura diseñada por Li-Yun y fabricada por el señor Betancourt, el joyero.

Todos los comerciantes habían contribuido para costear el trofeo y el viaje. Además, el concejo del pueblo, con el alcalde a la cabeza, contemplaba la posibilidad de convocar el concurso anualmente y hacerlo conocer en todo el país.

–Ha tenido que venir una muchachita del otro lado del mar para hacernos caer en cuenta de nuestras posibilidades –había dicho uno de los concejales.

Lo que no sabían esos señores, lo que no sabrían nunca, era que, con el concurso, Xóchitl solo buscaba ayudar a un niño a encontrar a su padre.

Mientras Elisa ayudaba a Li-Yun con las cometas, Xóchitl y Dimitri se encargaban de poner orden en las inscripciones. Ambos abrían anhelantes los sobres, buscando con los ojos la única inscripción que les interesaba. Fue Dimitri quien la descubrió. Se la pasó a Xóchitl temblando.

–Lo logramos, Dimi, lo logramos… –dijo ella casi en un susurro.

–¿Qué va a decir mamá cuando lo vea? –preguntó el niño preocupado.

–Ella no debe verlo; al menos, no al principio. Tu mamá se quedará aquí con Li-Yun, porque siempre habrá que hacer arreglos de última hora a las cometas. Además, desde aquí se ven mejor las cometas en el cielo.

Desde el comienzo de la organización del concurso, Elisa y Dimitri se habían quedado en casa de Li-Yun. A pesar de estar con otras personas, a pesar del barullo y el trabajo que ocasionaba el concurso, Elisa se dio cuenta de que algo preocupaba a su hijo. El niño comía a duras penas, y que se tomase casi a la fuerza las sopas de Li-Yun era algo que ella no podía creer.

–¿Qué te ocurre, príncipe? –le preguntó la víspera del concurso, cuando fue a darle las buenas noches.

–Nada, mamá. Bueno, Xóchitl va a irse pronto –añadió, a sabiendas de que no era eso lo que lo atormentaba.

–En el mundo en el que vivimos, nadie está lejos –le consoló la madre–. Basta tomar un avión.

103

–Sí, pero ella no va a poder venir a menudo –replicó el niño.

–Pero nosotros podemos ir –dijo la madre.

–¿De verdad, mamá? ¿De verdad iremos un día a verla? –exclamó Dimitri en el colmo de la emoción.

–Claro que iremos, claro que sí.

Dimitri se colgó de su cuello y la cubrió de besos.

Luego, cuando Elisa salía del cuarto, el niño dijo:

–A lo mejor Li-Yun podría ir con nosotros. Así conocería a su hijo.

–Eso solamente Li-Yun puede decidirlo. Y tú no metas la nariz en ese asunto, bandido.

La promesa del viaje a México ayudó a Dimitri a conciliar el sueño.

9

Eʟ día amaneció despejado. Todos en casa de Li-Yun se levantaron al alba. Después del desayuno, Xóchitl y Dimitri corrieron a la alcaldía a ultimar detalles con las personas que les ayudarían en el desarrollo del concurso.

Tras dejar claro qué tareas desempeñaría cada persona, ambos regresaron a casa. Por el camino, el niño le dijo que su mamá le había prometido llevarlo a México.

–¡Qué me dices, Dimi! ¡No puedo creerlo! –gritó Xóchitl abrazándolo felicísima, y añadió–: Te enseñaré a comer picante, te llevaré a mil sitios, primero que todo al Museo de Antropología, y verás cómo mis rasgos orientales no vienen solo de abue…

–Pero no hablo español –dijo Dimitri.

–Lo aprenderás. Nadie aprende más rápido una lengua que un niño –aseguró Xóchitl encontrando una solución a todo, como era su costumbre.

Luego de un largo silencio, Xóchitl le dijo:

–¿Sabes, Dimi? Yo te quiero como a un hermano.

Dimitri sonrió y la miró con ojos felices. Recordó que Li-Yun le había dicho una vez que los lazos afectivos no eran siempre fruto del parentesco, sino del amor.

El niño se dijo en silencio que era cierto, pues él mismo tenía un abuelo que, sin ser su abuelo, lo amaba como si fuera su nieto, y Dimitri lo adoraba. Ahora tenía una hermana. Realmente tenía mucha suerte.

A las diez de la mañana comenzó a llegar gente a la explanada. A las once, Xóchitl, Dimitri y Julien, un empleado de la alcaldía, empezaron a recibir a los participantes. Había de todo: hombres, mujeres, adolescentes, niños. Definitivamente, eso de las cometas no tenía edad, se decía Xóchitl regocijada.

Dimitri había levantado la visera de su gorra y le dolían los ojos de tanto escrutar las caras. ¿Dónde estaba la de su padre? ¿Lo vería? ¿Y si ese Carlo Pisani, a pesar de ser economista, no era su padre?

Julien buscaba en una lista el nombre de cada participante y, en cuanto lo encontraba, Xóchitl o Dimitri le entregaban una escarapela.

Los primeros en pasar eran casi todos conocidos de Dimitri: amigos de su mamá, su amigo Santiago, la dueña de la tienda cercana a su casa, el carnicero de su calle, y el señor Papadopoulos, un jubilado que vivía solo y que jamás hablaba con nadie. Dimitri no podía creerlo: el señor Papadopoulos tenía una cometa que no había sido fabricada por Li-Yun y, sin embargo, tenía que reconocer, era muy hermosa. Era una cometa dios griego; al menos, a Dimitri se le parecía a uno de los dioses de la mitología que había visto en un libro.

Hacia el mediodía, ya se habían presentado casi todos los participantes. Xóchitl empezaba a impacientarse, y Dimitri estaba a punto de llorar. La explanada estaba llena de gente y el cielo azul, límpido, servía de fondo a un insólito ballet multicolor. Xóchitl y Dimitri, como todo el mundo, terminaron embebidos en ese cielo de flores, mariposas, dragones, serpientes, águilas, aviones, rostros...

–Señor Pisani...

Dimitri oyó como en sueños la voz de Julien. Agarró con fuerza la mano de Xóchitl, que al principio no comprendió.

Dimitri vio a un hombre de mediana estatura, pelirrojo, con la piel tostada por el sol. Vestía vaqueros y deportivas, y tenía en la mano una gorra de béisbol. El niño no podía quitarle los ojos de encima.

Xóchitl buscó presurosa la escarapela y se la entregó.

–¿Fuiste tú quien me dejó la invitación? –le preguntó él con una sonrisa amable.

–Sí… –respondió Xóchitl mirándolo fijamente. No le cabía la menor duda, tenía los ojos de Dimitri, la sonrisa de Dimitri, el color de pelo de Dimitri.

El hombre se retiró y Xóchitl susurró:

–Dimi…

Dimitri no sabía qué decir. ¡Era su papá! Y ahora ¿qué iba a hacer? ¿Cómo iba a decirle que él era su hijo? ¿Cómo? ¿Cómo era eso de tener un papá? ¿Cómo se habla a un papá? ¿Cómo se convence a un papá de que no debe tener miedo de su hijo? ¿Cómo, si él mismo estaba muerto de miedo? ¿Y si su papá lo mandaba a paseo? ¿Y si le decía que no quería ser su papá ni ahora ni nunca?

–Dimi… –volvió a decir Xóchitl.

–Es papá… es igualito al de la foto –dijo el niño en voz baja.

–Claro que es tu papá. Eres su vivo retrato. Menos mal que ni te miró; si no, habría salido corriendo

–repuso Xóchitl con la mirada perdida en la dirección que había tomado el padre de Dimitri.

–¿Y ahora qué hacemos? –le preguntó el niño
desesperado.

–Por ahora, nada, Dimi. Creo que hay que dejar
hacer a la vida.

–¿Y si la vida no hace nada? –le preguntó de
nuevo el niño.

–Ya veremos –se limitó a responder Xóchitl
con cara de estar tramando ya algo en su cabeza.

Dimitri ya no pudo mirar el espectáculo que
ofrecían las cometas. Sus ojos solo buscaban la silueta de su padre. Lo vio a lo lejos elevando una
soberbia cometa que representaba a una sirena de
larguísima cabellera negra. Sin darse cuenta, se le
fue acercando poco a poco, hasta que llegó junto a
él. Se ajustó su gorra casi hasta taparse los ojos,
como si quisiera esconder su rostro.

–¿Te gusta mi cometa? –le preguntó el hombre;
y, sin esperar respuesta, agregó–: La hice yo
mismo.

Dimitri no lograba desenredar su lengua.

–Y tú, ¿no participas en el concurso? –le preguntó mientras soltaba un poco de cordel a su cometa.

–No… no puedo porque ayudé a organizarlo –dijo el niño nerviosamente.

–¡Ah! Pero supongo que sabes volarlas –le dijo el hombre mientras aligeraba el paso.

–Sí, Li-Yun me enseñó.

–¿Li-Yun?

–Es como mi abuelo. Él fue quien hizo casi todas las cometas que hay en el cielo –dijo el niño luchando por controlar el temblor de su voz.

–Son muy hermosas. He ido a otros concursos y no creo haber visto cometas tan bellas –comentó el hombre con sincera admiración.

–Mamá dice que Li-Yun es un poeta –dijo Dimitri con cariño.

–Se ve que le quieres mucho. ¿Cómo te llamas? –preguntó el hombre con la vista fija en la sirena voladora.

–Dimitri…

El hombre tuvo un sobresalto que le hizo descuidar su cometa. Esta empezó a perder altura.

–Se está cayendo –dijo el niño.

El hombre se repuso enseguida y maniobró hasta lograr que su cometa se elevara de nuevo.

–¡Dimitri! –era Xóchitl que se acercaba–. Corre a ayudar al señor Papadopoulos con su cometa,

pues creo que no conoce mucho la técnica del vuelo.

Dimitri obedeció sin decir palabra.

–Es un experto, por lo que veo –dijo el hombre refiriéndose al niño.

–Es un príncipe –le respondió Xóchitl espontáneamente.

–¿Eres su hermana?

–Ya quisiera. Bueno, de cierta manera lo soy.

El hombre no dijo nada y puso toda su atención en la cometa, pero al cabo de un instante sintió que le era imposible concentrarse. No sabía por qué. Mentira, sí lo sabía. Era ese nombre, Dimitri. Ella le había dado ese nombre a su hijo. Era lo de siempre, le encantaba hablar con los niños, pero luego huía de ellos como si tuviera miedo de acercárseles, de descubrirlos. ¿Dónde estaría su hijo? ¿Cómo sería? ¿Hasta cuándo se iba a hacer las mismas preguntas? ¡Dios, ese niño se llamaba Dimitri!

Xóchitl, inmóvil, lo miraba.

Estaba furioso. Dejó que su cometa se fuera a pique, la recogió y se fue. De pronto, ese cielo encometado se le volvió insoportable. Se necesitan tranquilidad y paciencia para elevar una cometa, dos cosas que él no tenía en ese momento. Metió la cometa en su coche y, antes de arrancar, vio la cara de estupefacción de la chica y, un poco más lejos, se cruzó con la mirada interrogante del niño que le había hablado de Li, de Li no sabía qué. Le dio la impresión de que el niño iba a echarse a llorar.

–Se ha ido –le dijo Dimitri a Xóchitl cuando estuvo a su lado–. ¿Le dijiste algo? –le preguntó el niño entre lágrimas.

–No, Dimi. No sé lo que pasó. Los mayores tienen a veces unos enredos en la cabeza… No te preocupes, ya sabemos donde vive, ya tenemos la certeza de que es tu padre. Vamos, sécate esas lágrimas.

El evento siguió su curso.

Elisa, que había estado todo el tiempo al lado de Li-Yun, decidió ir a ver las cometas de cerca y tomar fotos. Dimitri se dirigía en ese momento hacia la casa. Elisa vio en su rostro esa cara de preocupación que no lo abandonaba desde hacía días.

–Mamá… –dijo el niño abrazándola de pronto.

–Príncipe… –se contuvo; había otras personas, y al niño no le gustaba que lo llamase así delante de los demás–. Ven, Li-Yun necesita ayuda.

El concurso fue un éxito y el premio lo ganó una muchacha de Toulon con una cometa que ella y su hermano habían fabricado. No era la cometa más bella, pero su manera de ondular en el cielo y las cabriolas de su estela la hacían hermosa. Era una paloma blanca con una estela de cintas azul ultramar. La maestría de la chica al accionarla era sin igual. Tiraba de un hilo y la cabeza de la paloma desaparecía, su cuerpo se asemejaba a un barco y la estela al oleaje marino; y luego, con otro movimiento diestro, lo que se veía en el cielo era un cohete que parecía escaparse por el espacio infinito.

A Xóchitl y a Dimitri les dio mucha pena que no fuese una cometa de Li-Yun la ganadora, pero el menos afectado por el resultado era el mismo Li-Yun, que desde el principio había pedido que el jurado lo compusieran personas venidas de fuera.

Li-Yun acudió a la entrega del premio. La cometa ganadora le pareció extraordinaria. La examinó del derecho y del revés. La chica le indicó la manera de accionarla y, ante los ojos atónitos de todos los presentes, Li-Yun le imprimió a su vuelo una nueva majestuosidad. La paloma volaba como si navegara, el barco navegaba como si volara y el cohete hendía el infinito envuelto en el mar de su estela.

Elisa, Xóchitl, Dimitri y el público estaban emocionados. Ahí estaba pintado Li-Yun. Su arte y su poesía estaban también en la armonía de sus gestos. El mundo estaba suspendido en el vuelo de esa frágil paloma; el mundo, para todos los que lo miraban, era ese navegar, como si por un instante Li-Yun hubiese logrado hacerles comprender que la vida era vivir cada cosa, cada gesto, cada acción como si fuesen únicos.

Nadie quería que terminase ese momento. Ya no se sabía quién era más aéreo, si la cometa o la espigada silueta de Li-Yun, cuyos pies parecían no tocar el suelo y cuya agilidad podía compararse a la de un hombre joven.

10

Días después, Li-Yun cumplió la promesa de enseñarle a Xóchitl el arte de hacer volar una cometa. Estaban los dos solos en la inmensidad de la explanada. Xóchitl echaba chispas al principio, porque su cometa no levantaba casi del suelo y, cuando lo hacía, se venía a pique al cabo de unos minutos. La paciencia de Li-Yun dio sus frutos, y la cometa-mariposa se elevó en el cielo sin nubes. La chica se sentía feliz, iba y venía, tiraba del cordel, se extasiaba con el ondear de la mariposa, hasta que, en un descuido, la mariposa se fue... Xóchitl se quedó como paralizada, pero se repuso pronto y dijo:

–Los niños cuentan que tus cometas se escapan con facilidad.

–Les gusta volar libremente, como a ti –le dijo Li-Yun con ternura.

–Me voy pronto, abue..

116

–Lo sé, paloma, lo sé…

Se dirigieron a la casa en silencio. Li-Yun estaba triste, y Xóchitl inquieta. ¿Cómo resolver lo del padre de Dimitri? ¿Y si se lo contaba a su abuelo? Pero este tampoco había sabido ser un papá… ¿Y cómo dejar a Dimitri solo con semejante problema entre manos?

–Abue, tengo que contarte algo… –dijo Xóchitl en voz baja.

–¿Una barbaridad? –preguntó Li-Yun burlón.

–Depende de cómo lo veas –replicó su nieta.

Al llegar se sentaron en un sofá cerca de la ventana que daba a la explanada.

–Soy todo oídos –dijo Li-Yun.

Xóchitl le contó entonces todo lo que Dimitri y ella habían hecho para encontrar al padre del niño. Cuando terminó, Li-Yun la miró con una calma que admiró a la propia Xóchitl, y le dijo:

–Xóchitl, solo tienes dieciséis años y andas por ahí tratando de arreglarle la vida a todo el mundo. Si Elisa llega a enterarse, se pondrá furiosa. Pero eres tú quien tiene razón. Y ahora, ¿qué piensas hacer?

–No sé, abue, por eso te lo he contado. No puedo irme dejando a Dimitri solito para resolver este enredo –le respondió la chica con aire preocupado.

–Tienes razón. Déjame pensar –dijo Li-Yun poniéndose de pie.

–Gracias, abue. Voy a buscar a Dimitri; le prometí acompañarlo a la playa.

Xóchitl se fue con el corazón más ligero. Estaba segura de que su abuelo encontraría una solución. Una vez en la playa, le dijo a Dimitri:

–Me voy el sábado, Dimi…

–¡Este sábado! –exclamó el niño.

–Sí… Pero no te preocupes por lo de tu papá: sé que algo va a pasar –le alentó la chica dulcemente.

Dimitri guardó silencio y, por más esfuerzos que hizo Xóchitl para levantarle el ánimo y hacerle hablar, no lo logró.

Cuando Xóchitl volvió a casa, encontró una nota de Li-Yun diciéndole que se había ido a ver al padre de Dimitri.

11

Lɪ-Yᴜɴ conocía muy bien Marsella y no tuvo ningún problema para encontrar la dirección que había sacado de algunos papeles del concurso que aún estaban en el cuarto de su nieta.

A la portera le sorprendió el aspecto de ese hombre asiático: demasiado alto para ser un asiático puro, y le sorprendió más aún que viniera a preguntar por Carlo Pisani. Definitivamente, a este señor lo solicitaba gente cada vez más rara.

–Tiene usted suerte; el señor Pisani acaba de subir –le indicó amablemente.

–Li-Yun tomó el ascensor, se apeó en el último piso e inspeccionó una a una las puertas de los apartamentos hasta encontrar la que buscaba. Pulsó el timbre con seguridad. Un momento después, le abrió la puerta el que le pareció un Dimitri adulto. Li-Yun se quedó estupefacto. Se preguntó entonces si su propio hijo se parecería a él en grado semejante.

–¿Sí? –preguntó el hombre.

–Verá, usted no me conoce. Mi nombre es Li-Yun Lin y, aunque le parezca extraño, tenemos mucho que decirnos –le dijo Li-Yun con firmeza.

Li-Yun… ¿No era ese el hombre de las cometas, aquel del que le habían hablado el niñito de la gorra hasta los ojos y la chica del concurso? Carlo se quedó un instante sin saber qué decir.

–¿Puedo pasar? –le preguntó Li-Yun con premura.

–Sí… sí… Pase, por favor –asintió Carlo mientras abría la puerta casi de par en par.

Li-Yun echó una rápida ojeada a la sala. Siempre había pensado que una casa era el reflejo de quien la habitaba. La sala era espaciosa y clara; de las paredes blancas colgaban cuadros magníficos; la mesa de centro estaba decorada con un mosaico de dibujos geométricos y un borde de mármol, todo en colores ocre. Li-Yun se preguntó qué manos habían confeccionado tal prodigio. Se sentó en una mecedora de fino mimbre dando la cara al ventanal por el que entraba la luz a raudales y desde donde se divisaba el mar.

–Tiene usted una hermosa casa y una linda vista –elogió Li-Yun con sincera admiración.

Carlo no dijo nada. Tomó asiento frente a Li-Yun. Se sentía nervioso y confuso. No sabía por qué, pero estaba seguro de que ese hombre venía a decirle algo grave.

–Creo que lo mejor es ir al grano. Le pido, por favor, que me deje hablar sin interrumpirme –dijo Li-Yun.

De Li-Yun emanaba tal determinación que Carlo supo que no era posible volverse atrás, y que tendría que escuchar el discurso de ese desconocido costara lo que costara.

Li-Yun empezó contándole su propia vida, su encuentro con Salomé, su vida de trotamundos, lo de su hijo, su soledad, su vida dedicada a las cometas. Le contó también cómo había llegado Xóchitl a su vida.

Carlo no parpadeaba, estaba inmóvil como si ni siquiera respirase. No podía apartar la vista de ese hombre que hablaba con tanta calidez y a la vez con tanto dolor.

–Lo del concurso fue idea de Xóchitl. Se le ocurrió cuando supo que a usted le gustaban las cometas…

Li-Yun se quedó un momento en silencio. Se pasó una mano por los cabellos y miró fijamente a Carlo mientras retomaba su relato.

–Xóchitl tomó a Dimitri bajo su protección. Dimitri, supongo que ya lo ha adivinado, es el niño pelirrojo que usted vio en la explanada. Xóchitl lo considera como su hermano y como, aparte de viajar, la pasión de mi nieta es arreglar los entuertos de los otros, el día en que Dimitri le manifestó el deseo de conocer a su padre, Xóchitl hizo todo por ayudarlo. La mamá de Dimitri no sabe nada, y si se entera nos mata a todos. Yo estoy viejo y cansado. Me he pasado la vida lamentando la ausencia del hijo que abandoné. No haga usted lo mismo, por favor. He tenido la inmensa suerte de conocer a mi nieta, pero nada llenará el vacío que me ha dejado el no haber visto crecer a mi hijo. Nada –Li-Yun hizo una larga pausa y continuó–: Dimitri es un niño excepcional, y aunque no lo fuera, es un niño que necesita a su padre. ¿No lo necesita usted? ¿No ha pasado noches en vela preguntándose cómo es, qué hace, dónde vive? ¿No siente que algo cojea en su vida? Ha de saber que la única manera de vencer el miedo es enfrentarlo. Me costó la vida entera comprender algo tan sencillo.

Por fin, levantándose, dijo gravemente:

–No tengo nada más que decir –le tendió un papel a Carlo–. Este es mi número de teléfono.

–Señor… –logró articular Carlo, que hasta el momento no había dicho esta boca es mía.

–Llámeme Li-Yun. No diga nada ahora. El sábado estaré con Dimitri en el aeropuerto a las tres de la tarde para despedir a Xóchitl: ella regresa a su país…

Li-Yun se fue sin decir nada más y Carlo se quedó en medio de la sala, petrificado, mirando sin ver el papel que Li-Yun le había dado.

12

XÓCHITL parecía un león enjaulado a la espera de Li-Yun. Había recorrido la casa entera y se había asomado mil veces a la ventana. Por fin, la puerta se abrió y Xóchitl se precipitó al encuentro de su abuelo.

–¿Lo viste, abue? ¿Qué dijo?

–Nada, paloma.

–¿Nada?

–No lo dejé hablar, solamente hablé yo. Le conté mi vida, le hablé de Dimitri, de ti… Ya veremos. Le dije que el sábado estaríamos en el aeropuerto. ¿Sabes? Mira como Dimitri, tiene sus expresiones; parece mentira cómo puede heredarse eso. Hay que dejarlo reponerse un poco del pasado que le ha caído encima. Tengamos confianza.

–Eres súper, abue –le dijo Xóchitl abrazándolo.

–No, chiquita, no. Le dije al padre de Dimitri lo que nadie me pudo decir hace tantos años. A decir verdad, lo envidio porque él está a tiempo. Mi tiempo ya pasó.

–Nunca es tarde, abue.

–Sí, paloma, claro que es tarde –repuso Li-Yun tristemente.

–¿Y si te vienes a México conmigo?

–No, no me siento con fuerzas para enfrentarme a mi hijo ni a Salomé –le respondió con voz cansada.

–Xóchitl no insistió.

La víspera de la partida, Xóchitl fue a despedirse de Elisa. La encontró regando las plantas.

–Dimitri se fue a casa de Santiago –le informó mientras depositaba la regadera en la mesa del comedor.

–Vengo a despedirme de ti.

–Has sido un rayo de luz, Xóchitl; no te olvidaremos.

–Yo tampoco. Además, esto no es sino el comienzo. México os espera a ti y a Dimitri, y a abue también…

Elisa la abrazó muy fuerte. Xóchitl regresó a casa y no se movió de allí, pues quería dedicar a su abuelo el poco tiempo que le quedaba.

Al día siguiente, la tristeza de Xóchitl en el aeropuerto no tenía que ver solamente con el hecho de dejar a los que amaba, sino también con la ausencia del padre de Dimitri. No lo veía por parte alguna.

–No vino, abue –le dijo al oído a Li-Yun.

–Dale tiempo, paloma, dale tiempo –susurró.

–¿De qué hablan? Preguntó Dimitri mientras miraba el ir y venir de la gente.

–De cosas de la vida –dijo Xóchitl.

–Uno siempre habla de cosas de la vida –le replicó el niño.

Xóchitl y Li-Yun se miraron y rieron de buena gana.

Un momento después, Li-Yun se fue a comprar unas revistas para Xóchilt y esta aprovechó para hablarle al niño.

–Dimi, no te preocupes tanto por lo de tu papá. Yo estoy segura de que pronto tendrás noticias.

–Qué sabes tú… –le contestó Dimitri con un tinte de enojo en su voz.

–Él ya sabe quién eres…

Dimitri la miró alelado. Quiso decir algo, pero Li-Yun ya estaba de regreso. En ese mismo instante, los altavoces anunciaron el embarque de los pasajeros del vuelo de Xóchitl. La chica abrazó a Li-Yun con todas sus fuerzas, mientras le decía:

–Abue, júrame que no te vas a enfermar y mucho menos a morir. Tengo que volver a verte muchas veces, muchas. Además tienes que ver a papá y a la abuela y…

–Paloma, no sigas arreglando la vida de los otros. Piensa en ti.

–Pensando en los otros pienso en mí, abue.

Li-Yun no dijo nada. La besó en la frente con ternura y deshizo el abrazo para que Xóchitl se despidiera de Dimitri.

–Dimi…

Se abrazaron muy, muy fuerte. No se dijeron nada, no era necesario.

La dejaron partir sin quitarle los ojos de encima. Cuando su silueta desapareció al fondo de un largo corredor, Li-Yun cogió a Dimitri de la mano y lo condujo a una cafetería. No quería irse hasta que el avión despegase.

13

Los días pasaron. El otoño se fue instalando lentamente, el viento afilaba cada día sus cuchillos un poco más y las hojas de los árboles iban cayendo como mariposas.

Aquel día, Dimitri salió tarde de la escuela. De vez en cuando le gustaba hacer allí mismo sus deberes para sentirse libre en casa. Tenía puesta una gorra que Xóchitl le había dejado y caminaba sobre las hojas secas. Iba a cruzar la calle cuando lo vio en la acera de enfrente. Dudó unos segundos y luego se detuvo.

Carlo lo miró detenidamente. Se quedaron quietos un instante, examinándose, tratando de calmar el galope de sus corazones. Finalmente, Carlo cruzó la calle.

–¿Quieres tomarte una taza de chocolate? –dijo cuando estuvo al lado de Dimitri.

–Bueno... –respondió el niño, mientras inconscientemente lo guiaba hacia uno de los cafés de la plaza.

Dimitri miró hacia la librería donde trabajaba su madre, al otro lado de la plaza. Se sentaron en una mesa al fondo del café e hicieron el pedido.

–No sé qué decirte –susurró Carlo nervioso–. Sé lo que hicisteis Xóchitl y tú por encontrarme. Ahora que me has visto, no sé si quieres que sea tu papá. Perdona, Dimitri, pero no sé cómo se habla a un niño, no conozco la profesión de papá...

El niño no le quitaba los ojos de encima, y esa mirada profunda infundía temor a Carlo a la vez que lo maravillaba. ¿Cómo podía mirar así un niño? Se sintió desamparado. Sin saber por qué, empezó a hablar de las cometas, del concurso.

–¿Cómo es posible tener miedo de un niño, de un bebé?

La pregunta dejó a Carlo con su taza a medio camino. Un instante después dijo con voz ronca:

–No lo sé, Dimitri, no lo sé. Es una buena pregunta...

–Mamá siempre me ha dicho que, aunque no te ocuparas de mí, siempre serías mi padre. De todas maneras, yo no quería otro papá distinto de ti.

–Pero no he sido un papá, Dimitri.

–Sí, pero porque no habías crecido. Bueno, es lo que dice mamá –dijo el niño enrojeciendo.

Carlo no pudo contestar nada, porque esa frase encerraba toda la verdad. Es más, ni siquiera había intentado crecer. Con mano nerviosa, acarició el cabello de su hijo.

–¿Y si fuéramos a ver a mamá? –preguntó Dimitri a la vez que hacía una seña al camarero.

A Elisa se le cayeron de las manos los libros que iba a colocar en un estante. Ahí estaban frente a ella los dos hombres más importantes de su vida. Los miró sin decir nada, dio media vuelta, dijo algo a su patrón, tomó su bolso y salió con ellos. Caminaron en silencio un buen trecho. Finalmente, Elisa dijo:

–Vamos a casa.

Por el camino, Elisa trataba de poner orden a los pensamientos que se agolpaban en su mente: «Uno se pasa la vida soñando, rogando que se realicen sus deseos, que el pasado vuelva, que los seres que hemos amado y que nos han dejado regresen y nos amen de nuevo. Y todo lo que nos ha parecido tan imposible, sucede un día. El ausente vuelve y su regreso nos parece irreal. Y no sabemos qué decir, ni cómo conducirnos; peor aún, no sabemos si nos sentimos felices. A lo mejor lo que sentimos es miedo, porque la felicidad asusta. Entonces tenemos que serenarnos, dejar que el tiempo nos ayude a conocer nuestros verdaderos sentimientos, nuestros verdaderos deseos. A Dimitri no debe pasarle esto. Dimitri es un niño y no tiene necesidad de creer, porque él sabe. Dimitri esperaba, pero sabía que no podía esperar toda la vida. ¿De dónde ha salido Carlo? ¿Cómo ha llegado hasta aquí?».

Iba como sonámbula y no supo en qué momento había agarrado la mano de Dimitri.

Al llegar a la casa, a Elisa no se le ocurrió otra cosa que ir a preparar una limonada. Ella tenía tanta sed que le parecía normal que Carlo y Dimitri estuviesen sedientos también.

Regresó un momento después, con la jarra y los vasos en una bandeja. Carlo estaba de pie y miraba las fotos de Dimitri que se encontra-

ban en un estante de la biblioteca. El niño lo miraba en silencio desde el sofá.

–Supongo que tenéis sed… –dijo en voz baja. Y sin esperar respuesta les sirvió.

Bebieron en silencio. Dimitri, con una voz que delataba la impaciencia, dijo:

–No nos hemos encontrado para quedarnos callados.

Carlo sonrió y se sentó a su lado.

–Li-Yun se va a poner feliz cuando sepa que has venido –le dijo el niño.

Elisa lo miró estupefacta y preguntó:

–¿Sabía algo de esto Li-Yun, Dimitri?

El niño no tuvo más remedio que contarle todo. Ella lo oyó en silencio.

–Li-Yun te iba a hablar, mamá… No vayas a enojarte con él… ni con Xóchitl … –le dijo el niño, suplicante.

–No, príncipe, no.

En realidad, no era eso lo que la preocupaba. Era lo que iba a seguir. ¿Podría ella, como Salomé, dejar de lado los rencores?

La voz de Dimitri la sacó de sus pensamientos. El niño hablaba a su padre de Li-Yun, de Xóchitl, de la escuela, de las cometas… Elisa lo

134

oía conmovida. Su niño había encontrado al padre tan anhelado; ahora solo había que dejar hacer a la vida. Pensó en Xóchitl y sonrió: si estuviese presente, sería capaz de organizar una boda en menos de nada. Vio que Carlo la miraba de reojo.

Al otro día, Dimitri se precipitó a la casa de Li-Yun y le contó con voz atropellada el encuentro con su padre.

Dimitri estaba radiante. Li-Yun lo estrechó muy fuerte contra su pecho y le dijo:

–Ya verás como aprende rápido a ser papá. Contigo irá como un rayo.

–Quisiera que Xóchitl lo supiera –dijo el niño.

–Anda, llámala –le dijo Li-Yun señalándole el teléfono.

–¿De veras?

–¡Claro! A ver, yo te dicto los números.

Un instante después, una voz soñolienta respondió.

–¡Xóchitl! –gritó Dimitri.

Al otro lado de la línea hubo un largo silencio, y de pronto:

–¡Dimi!

El niño le contó a Xóchitl el encuentro con su padre, con el mismo atropello con que se lo había relatado a Li-Yun. Al final dijo:

–Gracias, Xóchitl. Te quiero.

Li-Yun tomó el teléfono:

–Paloma…

–¡Abue! Abue querido…

–Quiero decirte algo, pero debes guardarlo en secreto por el momento.

–Soy toda oídos.

–Bueno, es un poco difícil de decir… –dijo Li-Yun titubeando–. ¿Crees que un viejo como yo resistirá atravesar el océano para enfrentarse a la furia de su hijo y la mirada de su madre?

Xóchitl, conteniendo a duras penas la emoción, le dijo:

–Abue, yo estaré a tu lado.

Cuando Li-Yun colgó el teléfono, Dimitri lo abrazó en silencio, y un instante después le dijo:

–Tú dices que a las cometas les gusta ser libres, y que por eso se escapan, porque no quieren vivir atadas. Pero yo creo que a nosotros nos hace falta sentirnos atados a los que amamos, para ser libres.

Li-Yun miró a Dimitri como si fuera un marciano, y se tropezó con esa mirada de rey en su trono que le decía que la sabiduría no tenía edad.

Afuera, por una extraña coincidencia, o porque la sabiduría y la maravilla van de la mano, las cometas que ondeaban en la terraza de Li-Yun emprendieron el vuelo, todas al mismo tiempo, como si una mano invisible hubiese cortado los hilos.

TE CUENTO QUE GLORIA CECILIA DÍAZ...

... desde niña es una lectora insaciable. Generalmente lee varios libros a la vez, por eso le cuesta trabajo entender que haya gente a la que no le guste la lectura; porque para ella no leer es como darle la espalda a la imaginación, a los viajes, al conocimiento del mundo y del ser humano.

Se enamoró de las palabras escuchando los cuentos que le contaba su abuelo, los refranes que repetía su abuela, las canciones que cantaba su madre, y sobre todo al descubrir la palabra escrita en su primer año de escuela. A los once años escribió su primer poema, y desde entonces no ha parado de imaginar historias.

Así como lee varios libros a la vez, Gloria Cecilia también escribe varios libros al mismo tiempo, y lo hace como si recorriera un camino desconocido que su pluma va descubriendo poco a poco, con tranquilidad, en su casa de París y siempre por las noches, cuando nada ni nadie va a molestarla, cuando la ciudad duerme y los teléfonos se han callado.

Gloria Cecilia Díaz nació en Calarcá, Quindío (Colombia). Actualmente vive en París, donde compagina su oficio de escritora con la enseñanza del español. En 1985 ganó el premio El Barco de Vapor con *El Valle de los Cocuyos*, libro incluido en la Lista de Honor de la CCEI. En 1992, con *El sol de los venados,* obtuvo su segundo premio El Barco de Vapor, y en 2006 fue galardonada con el Premio Iberoamericano de Literatura Infantil y Juvenil que otorga la Fundación SM, por el conjunto de su obra.

SI TE GUSTAN LAS HISTORIAS PROTAGONIZADAS POR PERSONAS ESPECIALES QUE HACEN COSAS DISTINTAS AL RESTO DE LOS ADULTOS, COMO LI-YUN, NO TE PIERDAS **EL MOVIMIENTO CONTINUO**. En él conocerás a Santos, un anciano que tiene en casa un detector de auroras boreales, un bosque de helechos y una ciudad de periquitos, y también es el abuelo de Andrea.

EL MOVIMIENTO CONTINUO
Gonzalo Moure
EL BARCO DE VAPOR, SERIE ROJA, N.º 191

SI TE HA GUSTADO LA AMISTAD QUE SURGE ENTRE XÓCHITL Y DIMITRI AL COMPARTIR PROBLEMAS, **AURELIO TIENE UN PROBLEMA GORDISIMO** es tu libro. Aurelio Mantecón se levanta una mañana y ve que ha crecido nada menos que 34,5 centímetros. Este cambio le traerá problemas, pero le permitirá conocer a Herminio Otentote, el grandullón de la clase.

AURELIO TIENE UN PROBLEMA GORDÍSIMO
Fernando Lalana y José María Almárcegui
EL BARCO DE VAPOR, SERIE NARANJA, N.º 84

SI TE HA GUSTADO **LAS COMETAS DEL RECUERDO** POR-QUE TRATA EL TEMA DE LA RECUPERACIÓN DEL PASADO Y DE LA FAMILIA, EN **MEJOR HABLAR A TIEMPO** acomparañás a Danny, una chica dispuesta a todo con el fin de encontrar a su padre, aunque, cuando lo consigue, las cosas no son como ella imaginaba.

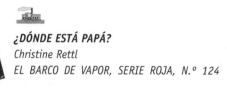

MEJOR HABLAR A TIEMPO
Adele Griffin
EL BARCO DE VAPOR, SERIE ROJA, N.º 112

Y TAMBIÉN TE GUSTARÁ **¿DÓNDE ESTÁ PAPÁ?**, en el que Helene, ayudada por su amigo Mark, tratará de descubrir el para-dero de su padre, al que solo conoce por una fo-tografía y unas cuantas cartas.

¿DÓNDE ESTÁ PAPÁ?
Christine Rettl
EL BARCO DE VAPOR, SERIE ROJA, N.º 124

elbarcodevapor•com